• PIGION Y TALWRN •

• GOLYGYDD GERALLT LLOYD OWEN •

Argraffiad Cyntaf – Tachwedd 2000

ISBN 0 86074 168 0

Cyhoeddwyd ac argraffwyd
gan Wasg Gwynedd, Caernarfon

Cynnwys

Cyflwyniad

Aeth dwy flynedd heibio er pan gyhoeddwyd y casgliad diwethaf – y nawfed – o Bigion y Talwrn. Bellach yr ydym wrthi'n darlledu'r ail gyfres ar hugain o'r rhaglen ac fe ymddengys fod diddordeb y gwrandawyr a brwdfrydedd y beirdd yr un mor gryf ag erioed. Mae hynny, dybiwn i, yn destun llawenydd a rhyfeddod yn y dyddiau dicra hyn pan yw cymaint o'n difyrrwch mor arwynebol ac anghymreig.

Rai misoedd yn ôl roeddwn yn disgwyl fy nhro i dalu mewn siop ym Mangor ac roedd cwpwl yn eu hugeiniau cynnar iawn o'm blaen. Trodd y gŵr ifanc ataf ac ar ôl gofyn imi beth yw'r gair Cymraeg am *cherries* ychwanegodd, 'Chi ydi boi'r *programme poems* 'na 'te?' Gan gymaint fy syndod bu bron i mi gynnig talu am ei neges! Ond na, o ddifri, rwy'n argyhoeddedig fod y Talwrn wedi bod o gymorth i ehangu diddordeb mewn un gangen o'n diwylliant cynhenid yn ogystal â meithrin dawn a hyder beirdd ifanc – a hŷn hefyd, o ran hynny. Clywsom ofyn ganwaith os unwaith: ym mha wlad arall y caech chi raglen fel hon. Ystrydeb? Ie, ond mae'n wir ac mae'n bwysig ein bod yn dathlu ac yn dyrchafu'r diwylliant hwnnw. Rwy'n gobeithio bod cyhoeddi'r degfed casgliad hwn o Bigion y Talwrn yn rhywfaint o gyfraniad tuag at hynny.

GERALLT LLOYD OWEN

Telynegion

Paid
(er cof am Eic)

Gan iti wneud fel gwnaethost
Â fflam ei einioes o
Paid, Angau, â mynnu diffodd
Pob cannwyll sy'n ein co'.

Gad inni weld ei lygaid
Yn clywed y Groes a'r Sain,
Neu'r cawl ar lwyfan drama
Yn corddi ei chwerthin main.

Cael cofio'i nwyd yn noethi
Wrth golli, a gollwng stêm;
Nid hwyl i hwn oedd talwrn,
Nid dim ond gêm oedd gêm.

Cael adlais hanes enaid
A droediai'r foel a'r ffridd,
Yr enaid hwnnw a glywai
Awelon na chlywai'r pridd.

Felly, tra bydd adnabod
Yng nghof ei ffrindiau 'nghynn,
Paid, Angau, ac am orig
Gad y canhwyllau hyn.

John Gwilym Jones (Penrhosgarnedd)

Terfyn

Edrych arnynt
â'u cefnau at y pedair wal
yn syllu'n fud trwy wyll
ar wacter eu dyfodol;
fel mamogiaid hysb yn 'mochel
dan glawdd terfyn
a chaglau oes fel hen atgofion brwnt
yn glynu yn eu gwlân.

Caeth ydyw'r naill i'r corff
sy'n llyffetheirio'i mynd a'i dod,
ond mae'n urddasol herio'i cholli urddas
fel haul min nos o haf
a'r mwsg a'r minlliw'n harddu'r gorwel
cyn y machlud.

I gof mae'r llall yn gaeth,
a hwnnw yn ei hysio
i stompio'n syn ym merddwr ei meddyliau
gan grefu am ei mam,
a chamu, weithiau i haul ei hatgof,
weithiau yn crynu yng nghysgod hir ei hwyr.

Caethion yr awron ydym oll
a'n dyddiau'n tician tua'r tywyllwch.

Cen Williams (Bro Alaw)

Oerni

Heddiw,
rywbryd yn yr oriau mân,
methodd y gwres canolog
ac mae ias yma.

Y strapiau lledr yn llaith
a'r gefynnau gloywon
yn gafael.

Un distaw ydi o
yn nyfnder
ei lonyddwch du,
a'r stafell lachar, wen
yn gwasgu
dagrau
disglair
o'i dalcen.

Dim gweddi, dim bendith,
dim
ond pwyso'r botwm,
a'r golau'n pylu beth.

Yna,
uwchlaw'r tawelwch swyddogol,
grwndi isel
y gwres canolog yn dychwelyd.

Amser cinio.

Cynan Jones (Y Manion o'r Mynydd)

Gwên

Mae merched bach y swyddfa'n cwyno
eu bod nhw'n 'stressed'
ac yn 'depressed'
ac yn lliw y ffenest
mae Siân yn gweld ei hun yn gwenu.

Tu fas mae'n ha'
a'r plant yn bwyta hufen iâ...

Drwy'r dydd mae trwyn y swyddfa
yn y clecs diweddara':
noson liwgar Sali,
gewyn Nia yn torri,
y straeon yn blodeuo,
diffyg cyffro,
miwsig y radio,
cwyno
am y plant yn gofyn am degane,
prisie clytie yn y siope.

Mae Siân yn dal i wenu...

Ar ôl gwaith
tynna Siân ei gwên
a phylu
o weld tawelwch
ei baban deunaw oed
nad yw'n gallu gofyn am ddim.

Mae ewinedd Siân i'r byw
ar ôl caru hen hen blentyn
sy'n ddim ond brigyn.

Bydd Siân yn newid clytie tan fydd hi'n hen.
Dyna pam mae hi'n gorfod gwisgo gwên.

Mari George (Yr Awyr Iach)

Yfory Ddaw

(Llofruddiaeth Rebecca Storrs ym Mhen-y-bont ar Ogwr)

Roedd yr afon yn rhan o'th fagwraeth,
yn perthyn
fel hen fodryb glên
yn hwian hwiangerddi'r mynyddoedd
i'th fabandod gwyn;
yn rhannu d'afiaith a'th chwerthin
a'i fwrw'n drochion dros y cerrig llyfn.
Cadw cyfrinach
a chyd-ddyheu
am gyrraedd y môr mawr.

A'r noson honno,
pan syrthiodd y sêr,
a chwalu'n deilchion ar wyneb y dyfroedd,
hyhi gusanodd dy friwiau.

Yfory,
a thrennydd a thradwy
bydd ei galar hithau
yn dal
rhwng y glennydd hyn.

Anita Griffith (Y Tir Mawr)

Yfory Ddaw
(Er cof am Ioan Bowen Rees)

A gyrhaeddodd o'r copa?

Chwarddwn am offer y dringwyr cynnar,
y brethyn a'r gwlanen nesaf at y galon;
sgidia hoelion mawr at y daith hir,
a'r rhaffau'n trymhau
yn lleithder yr eira maith.

Ond daethant
i awyr denau yr uchelfannau
o'n blaenau ni.

Welodd o'r wawr ar y brig?

Ai dod yn ôl oedd o
i adrodd am binacl byd;
am weld, o'r copa,
yfory newydd?

Neu a rewodd y niwl o'i gwmpas,
a'i lethu ym machlud y daith?

Dringwyr
yn ôl ei droed yn dal ati
yn gwybod
fod y dydd wedi dod.

Meg Elis (Waunfawr)

Traeth

Roedd yma berygl unwaith
ond mae'r tonnau wedi erydu'r cof
a'r rhybuddion wedi eu hen fandaleiddio
gan genhedlaeth â rhyfel yn ei gwaed.
Mae baner Ewrop
yn cyhoeddi
fod y môr wedi maddau,
a chawn bicnica hyd y glannau
heb ddyrchafu ein llygaid,
heb glywed yr amserau'n tician
dan hanner canrif
o dywod.

Idris Reynolds (Crannog)

Rhywun

Yr wyt ti yma
nid yn weledig mewn enw
ond wrth dy orchwylion beunyddiol
yn ysbrydoli.
Yr wyt ti yma
yng ngwead y cerddi hyn,
ym mêr eu hesgyrn
ac ym mwrlwm eu gwythiennau.
Yr wyt ti yma
yn fiwsig yn rhythmau'r dweud
ac yn pwyo'n dragwyddol
o dan groen y delweddau.
Yr wyt ti yma
nid yn weledig mewn enw
ond am na fyddai'r cerddi hebot.

T.R.Jones (Y Preselau)

Parlwr

(ar ymweliad y frenhines â pharlwr teulu cyffredin)

Daeth hithau i ymestyn ffiniau
ei phrofiadau
rhwng pedwar o furiau
ac ehangu ymerodraeth
ei deall mewn teyrnas o derasau.

Ond papurwyd dros graciau'r gwirionedd
a sythwyd plygion realiti
o grychau'r llenni
a fframiai ffenestri ar fyd.
Arnom ni.

Ac ar orsedd eu dinodedd
cynigiodd lwncdestun i fywyd cyffredin
gan sipian gwag felystra
o gwpan tsieina
a llyncu danteithion
y briwsion o wirionedd
a osodwyd ar blât o'i blaen.

Cyn dychwelyd
i fywyd
sy'n balas o barlyrau
i roi un crair arall ar silff ei phrofiadau,
yn un atgof i'w anghofio
ymysg y mil o ffotograffau
sy'n hongian
uwch pentan ei byd.

Mari Stevens (UMCAholics)

Parlwr

Modlen a Seren a Betsan;
godro'r gwartheg yn hamddenol
a rhythmig
gyda'r hen stôl drithroed
yn gwmni;
arogl cynnes y beudy'n llenwi'r synhwyrau,
bywyd syml, difenthyciad,
diddyled.

Modlen a Seren a Betsan
yn eu parlwr sgleiniog;
popeth mor ddiarogl o lân;
ni sylwodd neb
ar y cysgodion yn hofran
uwchben,
cysgodion cyn ddued
â baril gwn.

Ann Fychan (Bro Ddyfi)

Cof

Mae'r golau heb ei ddiffodd,
A'r fflachio'n llenwi'r lle,
Y bysedd am gael dawnsio
Yn chwim o'r chwith i'r dde.

Er galw i'r disgleirdeb
A chwilio'r gwacter blin,
Er gwasgu'r holl fotymau
Ni ddaw'r un gair i'r sgrin.

Ken Griffiths (Tan-y-groes)

Cof

Yn y llyfrgell chwit-chwat hon
sy'n rhedeg mewn pentyrrau yn lle rhesi,
yn ofer y chwiliaf
am y paragraffau pwysfawr, stond
a gymerai eu lle mewn llyfrau hanes
na hyd yn oed hunangofiant;
yn ofer hefyd
y chwiliaf am ddyddiadau bras.

Na, troednodiadau sy'n teyrnasu,
a sgribliadau pensel eiddil
y gellid eu symud o un dudalen i'r nesaf
heb fawr ots.
Rhywbeth ddywedodd rhywun heb feddwl,
teimladau strae, amhriodol,
digwyddiad pitw'n swatio
yng nghesail achlysur.
Pe llefarid yn uchel am y rhain,
buan y diflannent i wagle'r anghofiadwy,
mân us o flaen y gwynt,
ac ni welai neb eu colli,
neb ond fi.
I mi, yn y pethau hyn,
mae ddoe yn ffaith.

Menna Baines (Y Taeogion)

Patrwm

Un noson
o naws fy ystafell wresog
gwelais Foel Gilie
a'r fedel, a gwelais
y tir amaeth patrymog
yn agor rhwng y cloriau
yn gerddi a baledi o'm blaen.
Yn daclus rhwng deuclawr
roedd tirwedd y cynganeddion
yno'n egino'n gân.
çaeau haidd fel cywyddau,
perci decsill yr hen benillion
yn wyn o wenith
a hen hafau cerdd dafod
eto'n gryndod yn y gwres.

Yna,
o un i un diflannodd
hen dylwyth fesul tudalen
i nudden y nos
gan adael dwy aelwyd
yn oer a mud
yn yr oriau mân.

Dai Jones (Crannog)

Pren

Tybed a grafodd
rhywun ei enw
ar bren y groes
fel ar y sêt
yng Nghapel Cwm?

Yno mae'r enwau'n rhesi
o grafiadau ceiniogau'r casgliad,
yn greithiau gwynion.
Enwau direidi
cyn pwysau'r bihafio.
Enw 'nhad, enw 'mrawd
a'm henw innau.

"Mae'n henwau ni i gyd ar bren y Groes,"
meddai Nain,
a'i dwylo'n tyner
bolsho'r sêt yn sglein.
Llygaid yn dwrdio
wrth fy ngweld
yn ceisio cuddio
craith y pechod gwyn
ar y pren du.

"Mae'n henwau ni i gyd ar bren y Groes."
A gwn mai ceinciau
rhyw hen, hen bren
a welai Nain yn codi'n sglein
dan ofal ei dwylo hi.

Haf Llewelyn (Penllyn)

Eco

Paham yr es i neithiwr i gymanfa,
os nad i gofio llawer neithiwr yn ôl?

Dweud hen ffarweliau fyddaf
yng nghymanfaoedd fy hydref.
Ffarwél, Sulgwyn a'i nosau yn Ebeneser,
pan fyddai'r bas yn disgyn arnaf o'r galeri
fel cynddaredd y glaw.

Ffarwél iti, Maes-y-plwm;
ffarwél, Morgan Rhys
wedi iti hen helaethu terfynau'r deyrnas
yn fy enaid i.

Rhy lawn o flynyddoedd yw'r cantorion bellach:
Ffarwél, Eirinwg,
medd eu lleisiau blinedig;
Ffarwél, Gapel y Ddôl a dy lah leddf.

Tai a werthwyd ydych, a'ch stafelloedd yn wag.

Ac eto, neithiwr,
fe ddihunodd rhyw awel uwchben;
fe glywais, am wyrth o ennyd,
yr hen ymrwygo yn galw yn ôl,
a thorri argaeau'r nefoedd.

Rhaid bod rhyw eneidiau yno
wedi llefain i wyneb y Graig.

John Gwilym Jones (Penrhosgarnedd)

Colled

Bu colli gair yn gêm,
fel gwneud jig-so
ag un darn bach o'r awyr las ar goll.
Deuai i'r fei bob tro
ond dal i chwilio.

Bob yn dipyn
yr aeth y gair yn eiriau,
hwyl yn hunllef:
dyfalu lle bu deall,
darnau o sgwrs, storïau ac ystyron
yn hongian yn y gwagle,
cymalau amddifad
fel pytiau o wal ar ochr mynydd,
a'r mur fu gynt yn gae,
fu'n gysgod
ac yn lle i enaid chwarae mig,
yn chwalu.

Ac er i'r niwlen godi
droeon,
ni welais ond sylfeini'n rhoi
a bylchau'n amlhau,
a bellach, ni ddaw fawr o neb
i chwilio
trwy'r holl ddarnau.

Enid Wyn Baines (Glannau Llyfni)

Colled

Eisteddent ar fainc y pentref
fel rhes o wenoliaid
yn pwyllgora
cyn cychwyn i'w hirdaith.
Hynafgwyr doeth fy ngwanwyn ir,
hen adar yn cymhennu hen nythod
dan fondo eu milltir sgwâr
a thrydar eu mabinogi
yn gleidio drwy haf fy Nghymreictod.

Heddiw daeth adar eraill
i gyfanheddu'r fro
ac ni ddeallant hwy
y trydar swil
na gwerth hen fainc
ar groesffordd oer.

Anita Griffith (Y Tir Mawr)

Ffenestr

Ni welodd neb y botel laeth
na sylwi bod y llenni 'nghau;
doedd papur ddoe yng ngheg y drws
yn malio dim am drengi dau.

Ond cefais, yn fy stafell fyw,
gymdogion newydd yn un rhes;
ces bicio draw i fenthyg sgwrs
wrth i Awstralia ddod yn nes.

Karen Owen (Llandysul)

Ffenestr

Defod,
Yn nyddiau'r "Pan fyddaf fi'n fawr"
Cael calendr yr Adfent
A 'mysedd bach i'n cosi;
Moyn agor y ffenest gyntaf,
Moyn cael dadlapio'r dydd;
Dyheu am ryfeddod
Y ffenest nesaf
Yn syth wedi agor hon;
Isie gwefr y golygfeydd
A guddiai tu hwnt i'r cloriau,
Gweld yr anrheg,
Gweld yr angel,
A gwybod, wrth weld y Babi'n y preseb,
Bod Siôn Corn wedi dechrau'i daith...
Panorama'r dyddiau'n agor
Yn araf, fesul un,
A minnau ar binnau'n teimlo
Na ddeuai'r Nadolig fyth.

Bellach
Mae'r dyddiau'n rhuthro heibio
Yn stribed diryfeddod,
A minnau'n dyheu
Am gael arafu Amser
A gohirio agor
Ffenest Yfory.

Menna Thomas (Y Dwrlyn)

Noswylio

Mae yno'n blygeiniol bob bore
i nôl ei bapur,
y *Daily Post, Farmers Weekly*
neu'r *Tir*.
Rhaid cadw cysylltiad â'r tir.

A dyma fo,
fel dafad heb borfa,
yn ŵr bonheddig ben bore
ar balmant caled y dre'
ond yr un yw ei osgo,
a'r cerddediad,
a'r cap stabal
wrth iddo grwydro'n ôl
i'w gartre' cyfleus,
i dorri'r pwt o lawnt
a'i chasglu'n das,
tra bo hithau'n
cymhennu'r gwely blodau
lle ni ddaw yr un
iâr i grafu,
na'r un ddafad
i fwyta'r dail.

Ann Fychan (Bro Ddyfi)

Noswylio

Gwn heno mai fi pia'r nos
yn gyfan.
Tynnaf hi'n dynn amdanaf,
yn bwysau braf.
Hawliaf ei rhyddid hefyd
gan ymddiried ynddi
i fynd â 'mhopeth,
a'i daflu'n ôl i mi'n freuddwydion
cyn y wawr.

Ond am bob heno
gwn hefyd
y bydd heno arall hir
pan fydd hi'n teyrnasu
oddi ar orsedd drahaus o bell,
eto'n arswydus agos;
pan yrr ei hellyllon
i ysbeilio pob trefn, pob sicrwydd,
a'i chŵn i udo'n wallgo' yn fy mhen.
A gwn bryd hynny,
nes daw gwawr â'i gwaredigaeth,
mai'r nos pia fi.

Menna Baines (Y Taeogion)

Ffin

Pydrodd y llinyn
fu'n clymu cymdogaeth
gan adael ond rhuban gwyrdd
i wahanu'r ddau gae.
Tyfodd porfa las
hyd ymylon
yr adnabod,
ac mae tyndra'r weier bigog
bob ochr i'r clawdd
yn mynnu
nad oes man gwan
i hogi meddwl,
i blygu sgwrs.

Dai Jones (Crannog)

Cwsg
(Er cof am yr arlunydd Sarah Snazell)

Wynebau mawr clir,
meddylgar yn siarad
trwy eu paent,
disgrifio eu llwybrau llawn
ar daith bywyd,
taith i'r dde
neu daith i'r chwith?
Y chwil-droi ar y groesffordd.
Lluniau mawr yn llywio bywyd.
Ynddynt mae hi yn fyw.
Ond adenydd angylion
a dyfodd
a hedfan
i gwsg diddiwedd,
a gadael ei hysbryd
yn y lluniau.

Aerwen Griffiths (Llanbed)

Gwledd

(I Kevin Carter y ffotograffydd rhyfel a gyflawnodd hunanladdiad ar ôl ennill Gwobr Pulitzer am lun o faban dan warchae fwltur)

Mae hi'n abwyd mor fychan
yn cropian yn ei hunfan
dan y cysgod a defli yn warchae drosti,
yn faban o brae
yn ymbalfalu byw.

A thrwy lens oer goddrychedd
ti sy'n ysglyfaethu
ar ei thrueni
ac yn awchu i dynghedu
ei heiliad olaf mewn fflach
yng ngafael dy gamera;
a'i darparu yn gignoeth o'n blaenau,
yn damaid esgyrnog
mewn gwledd o ddelweddau;
a stwffiwn ymylon ein cydwybodau
nes inni gael llond bol ar y blas.

* * *

A pha syndod felly i hunllefau
dy gyrchu?
Yn fwltur y sylwi
mai dim ond pesgi
d'enwogrwydd dy hun a wnaethost
wrth grafangu yn y foment
ac nid yn y ferch.

Mari Stevens (UMCAholics)

Inc

(I gofio'r Parch. Isaac Jones)

'Stydi Eic' sydd wedi ei hoelio
I bren gwyn y drws,
Ac ar y bore hwnnw
Pan oedd Mawrth yn cilio'n araf
Roedd llafnau beiddgar
Ei haul gwyn
Yn strempiau
Ar flerwch gwâr dy ddesg,
Ac inc dy bregeth olaf
Yn sychu ar y ddalen wen.

Ond nid mewn inc
Yr ysgrifennwyd dy bregethau gorau di;
Roedd y rheini
Yn gymwynasau
Ac yn dawelwch cynnes
Pan na allai geiriau ddwedyd dim.
'Ac Isaac a gloddiodd ffynnon,'
A bydd dŵr y ffynnon honno
Yn fwrlwm
Pan fydd inc pregethau
Wedi pylu'n ddim.

John Gruffydd Jones (Bro Cernyw)

Inc

Yn llyfr dioddefaint dynoliaeth
 staeniau sy'n stremp
  ar dudalennau brau brawdoliaeth
   ein canrif ni.

Darllenais stori'r hen raib am rym
 yn systemeiddio dulliau'r Bwystfil
  a'r inc ar fraich yr *Häftling*
   yn dad-ddyneiddio dyn.

Rhif, yn ei droi'n anifail
 i'w wasgu, gnawd ac esgyrn,
  i gerbydau'r gobaith, yn wlyb
   gan fiswail a sgarthion ei gyd-fforddolion.

Yntau'n gweld rhifau ei dynged
 yn graith ar groen ei arddwrn
  yn mesur ei amser yn sicrach
   na'r wats oedd ganddo gynt.

A ninnau, wrth edrych tua'r machlud heno
 yn gweld dagrau'r un hen stori
  yn llifo'n fudur drwy'r Gwaed
   ac yn gwrando ar ing y griddfan sy'n y gwynt.

Cen Williams (Bro Alaw)

Häftling: gair Yr Almaen am 'garcharor'. Roedd y gair a rhif yn cael eu tatŵio ar arddyrnau chwith pob carcharor.

Elw

Pa lesâd i ddyn, os ennill efe yr holl fyd, a cholli ei enaid ei hun? (Mathew xvi, 26)

Buddsoddwn mewn bomiau, a phentyrru taflegrau
ym manc diogel y Gorllewin gwâr
i'w hanfon, gyda chyfarchion y Pasg,
yn wyau llawn dirgelwch,
oddi wrth Gristionogion
at Gristionogion...

Rhwng bomiau NATO a bwledi Serbia,
golchwn ôl yr arian oddi ar ein dwylo,
tra bo gwaed Calfaria'n ceulo
mor rhad â gwaed Pristina;
a'r trydydd dydd
yn uffernol o bell.

Eifion Lloyd Jones (Dinbych)

Elw

B52 yn gollwng buddsoddiad o fomiau.
Pob ffrwydrad yn farc ar fantolen ein hochr ni,
a'r llog yn dodwy'n goch ar deyrn, ar drên, ar dractor.

Hogyn yn syfrdan mewn llanast o sgidia gwag
a'i lygaid yn llawn wrth weld ar ochr arall y balans
yr holl ffigyrau coll.

Meg Elis (Waunfawr)

Ias

Dim ond mawnog sydd yno,
Ac ambell griafolen yn gwyro
Wrth gofio'r ddrycin;
Tusw eithin, a chrawc y frân
O gyfeiriad Hafod Gau.

Dim ond esgus nant yn tincian
Ar ei thaith i dir Gwytherin,
Yn loyw ei sŵn
Fel sgidiau hoelion plantos Cornwal Isa gynt
Yn eu brys i gyrraedd adre,
A'u dwylo'n plygu brwyn
Yng nghysgod gwrych
Nes creu o'r frwynen fain
Blethiadau, clymau a rheffynnau cain.

Dim ond Eryri
Sy'n gorwedd acw ar fantell aur distawrwydd
Yn yr hwyrddydd mwyn
O ben Foel Goch.

Dim ond hyn a erys wedi'r chwalfa fawr.
Ond erys hefyd iasau'r perthyn
Yn y mannau hyn,
Ac fe bery clymau'r brwyn
I'm dal yn dynn.

Aneurin Owen (Llansannan)

Pentref

Ni allaf ond dychmygu
mai meddwl am y dathlu
a'r daith sha thre yr oeddent
am y deunaw munud ar hugain
rhwng Lockerbie a Llundain.

Bryd hynny,
mae dychymyg yn drech na mi,

a cheisiaf lyncu ei eiriau
wrth iddo greu llun
o'r graith yn y gerddi
a'r darnau o deulu
sy'n rhannu adain gwybod
a dagrau derbyn.

Ond mae deall yn daith
sy'n dechrau eto,
i ailblannu a chwynnu'r
glanio cyson ym meddwl y rhai
gafodd flodau ac adnodau'n
anrheg o'r noson.

A'r pentref hefyd a dderbyniodd rodd
o enw sy'n hawdd i'w gofio
gan fod cofio amdano'n anodd.

Lisa Tiplady (Pantycelyn)

Pentref

(Y pentref ffug a godwyd ar Epynt er mwyn ymarferion milwrol)

Lle bu clebran dihelynt,
synau diarth sy'n y gwynt;
nid oes sgwrsio ar Epynt.

Lle caed cusan ar amrant
a ffrwydradau chwarae plant,
diboblogwyd diwylliant.

Tai gwag, aelwydydd shrapnel,
lle bu'r ffermwyr yma'n hel;
aed â hwy i'r tir isel.

Ffasâd lle bu cartrefi,
brefu gwn nid cyfarch ci;
toi unigrwydd mae'r llechi.

Ond mae rhai o'r gorffennol
drwy'r holl sŵn yn troedio'n ôl
hyd y ffriddoedd milwrol.

Dafydd John Pritchard (Y Cŵps)

Cwymp

Roedd y nos yn ei alw;
Fe geisiodd,
Buodd heb hud ei sêr am dridiau,
Byw ar ei 'winedd,
Tynnu'n goch ar ei ffag,
Magu ei gryndod
Wrth syllu ar graciau'r wal.

Ond neithiwr agorodd botel
A daeth sŵn chwerthin ohoni.
Ildiodd i ledrith y gwin
A blas y blynyddoedd ar bob diferyn.

Yfodd
Am fod lletchwithdod yn cuddio lletchwithdod,
Am fod ei ddydd yn t'wyllu'n gynnar,
Am fod ots ganddo
Fod dim ots gan neb.
Yfodd
Dan olau disco'r lleuad
A gweld ffrindiau yn y craciau;
Yfodd
Nes clywed chwerthin y nos
Yng nghlincian y gwydrau gwag.

Deffrôdd heddiw
Ar waelod grisiau
Ei hunan-barch.

Mari George (Yr Awyr Iach)

Cwymp?
(De Affrica Mandela)
Treisir menyw bob 30 eiliad. Llofruddir 65 o bobl yn ddyddiol. Ychwanegwyd 500,000 at nifer y di-waith

Ni allai'r gloch o'r gegin
dynnu sylw y Sul hwnnw
a sychai'r stof funud ar ôl munud
ond symudai neb nes gweld dy symud,

i gryndod y tes
yn gwmni i'th gerdded
o'th gell i ystafelloedd
byw y byd.

a'th wallt mor llwyd â'r siwt
a wisgaist dros seithliw dy bryd,

a charped coch ein hedmygedd
yn cario'r sgidiau*
sydd heddiw mor segur
â'r miliwn mwy o sodlau
sy'n cicio o Soweto i Lesotho,

lle hesbiodd yr enfys ei chod
i adael aur I' Goli** nawr
yn gadwyn a rwygwyd oddi arni ar lawr
ac yn ddant a welai'n ei wên yn fflachio
wrth i dri deg eiliad arall basio.

Lisa Tiplady (Pantycelyn)

**Mae'r esgidiau a wisgai Mandela i gerdded o'r carchar yn rhan o arddangosfa yn ei hen gartref.*
***I' Goli yw'r enw Zulu ar Dde Affrica, sef "lle'r aur".*

Aros
(Ger Uluru, neu Ayers Rock)

Roedden ni'n aros yn yr unig le lle caen ni aros,
wedi'n corlannu'n glyd,
dan warchae esmwyth,
ein crwydradau o gylch craig fwya'r byd
dan reolaeth wâr,
a chyfran o'r pres a dalwyd
yn mynd i bocedi'r brodorion.

Ac o bellter diogel y buom yn syllu
ar anferthedd coch eu craig ar fachlud.
Dieithriaid yn syllu,
heb weld y llygaid
yn ein gwylio ninnau o'r gwyll.

Menna Baines (Y Taeogion)

Aros

Bob nos ar y sgrîn
Mae 'na giw yn aros
I brynu eu llun
I groesi'n dawel o ffin i ffin,

A'r llinellau hynny heddi
Sy'n tanio traed diamynedd
I gamu yn ôl i'w gweryd
I'w gynnau â'u gwadnau;

Ac ar droed yn Drumcree
Mae'r dorf yn dal

I fynnu'r daith,
A'r Groglith a gytunwyd
Ers amser maith,

Ond mae gwreiddiau'r ffrwydron
Yn ddyfnach yn y pridd hwn,
A neb am dderbyn deg darn dair gwaith
I chwynnu'r ffin sy'n para'n graith.

Lisa Tiplady (Pantycelyn)

Brys

Rown am gael gorffen ysgol
 Ac am gael gyrru car;
Rown am fod yn oedolyn
 A phrynu peint o'r bar:
Hyn oedd yn fwrlwm yn fy ngwaed,
A'r cloc o hyd yn llusgo'i draed.

Ni welais yn fy rhuthr
 Wrth imi eu mwynhau
Fod amser yn carlamu,
 A'm camau yn byrhau.
Mi lusgaf at fy ngwely toc
Heb oedi mwy i weindio'r cloc.

Ken Griffiths (Tan-y-groes)

Pardwn

(sef pardwn Timothy Evans a grogwyd ar gam am lofruddio'i ferch fach)

Yn bump ar hugain oed,
ond a'th feddwl yn iau na hanner hynny,
geiriau a'th rwydodd di,
y pethau hynny na fedret eu hysgrifennu na'u darllen
heb sôn am eu trin dan bwysau y doc,
a chyda phob ateb ffwndrus,
tynhaodd y rhaff am dy wddw.

Pan roddwyd yn glir mewn du a gwyn
nad ti wnaeth,
roedd hi'n rhy hwyr.
Datganwyd ffaith ddiymadferth.
Ond y tu ôl i oerni fflat yr inc
roedd huotledd taer y rhai fu'n llafar ar dy ran,
y rhai a gariodd faich cydwybod eraill,
y rhai a glywsai, yn dy hanner stori flêr,
sicrwydd diwrthdro'r rhaff yn dechrau datod.

Menna Baines (Y Taeogion)

Bro

Mi wela'n well
o bell
  gweld glannau'r môr ar hafddydd hir,
  patrwm o gloddiau a chaeau ir,
  Y Garn a Mynydd Rhiw yn glir
  a'r coed
  yn gwyro fel erioed
  wrth geisio dal eu gafael
  yn Llŷn.
Mi wela'r lle
fy ne'
  mewn drych caleidosgopaidd, glân:
  erys yn uniaith ac ar wahân,
  yn gartref saint, yn bur, yn gân
  o draw.
  Fy seren sefydlog
  fu Llŷn.
Ond syrthio'n flêr
wna sêr.
  Nesáu mae'r dydd y rhoddir tro
  i'r llun, gan chwalu sail fy mro,
  y dydd – y nos – pryd rhoddir clo
  ar ddrws,
  pryd na chaf grwydro hyd Gors Wyllt
  ond yn y cof,
  pryd y bydd cae yn rhif ar fap
  a chrensian acen estron
  o'r Rofft a Winllan Bach yn llond fy mhen
  a minnau'n ceisio
  dal gafael ar Lŷn.

Enid Wyn Baines (Glannau Llyfni)

Urddas

Bu hon yn hardd,
Yn dŵr cadarn i'w theulu,
Nes i'w salwch gripian yn dawel
Fel eiddew dros furiau'i chryfder
I guddio'r cadernid fu iddi
A rhwystro clirdeb golau dydd
Rhag treiddio drwy ffenestri'i chof.
Hen adfail o fenyw,
Ar drugaredd y presennol,
A'i gorffennol yn atsain
Y tu mewn iddi.

Ond rhywsut,
Er y dadfeilio,
Mae olion ei harddwch
Yno o hyd,
A seiliau solet
Ei hanfod hi
Yn dal i'w chynnal
Dan drwch y drysni.

Menna Thomas (Y Dwrlyn)

Ffarwelio
(i Josie Russell)

Dy wên sy'n wag ohonot
wrth iti ddiflasu
ar chwarae mig
ym mhlygion dy fudandod
a dechrau cerdded
yn olion dy draed dy hun
ar hyd hen lwybr.
Yma, yng ngwyll dy blentyndod
cei dy glymu eto
wrth goeden
dy gyfrinachau.

A does dim dianc rhag
y cnoc. cnoc. cnoc.
sy'n creithio dy ddiniweidrwydd,
y cnoc. cnoc. cnoc.
sy'n sgrech yn dy ddistawrwydd.

* * *

Ac yntau,
o groth ei angof,
sy'n dweud y cyfan
heb ddweud dim byd,
wrth i un
gnoc. cnoc. cnoc.
olaf
ddedfrydu
Hen Blentyn Bach
i grogi ar ei galar.

Mari Stevens (UMCAholics)

Ffarwelio

A dyma ni'n ôl
yn storïau a lliw haul benthyg
na welith ganol Hydref,
yn archebwyr rhugl ein bwyd a'n diod
ac yn diolch hyd syrffed
gan mor rhwydd yw hynny.

A dyma ni'n ôl
yn farchnad gyffredin
o roddion ac alcohol di-dreth,
o sigaréts a lanwai ysbyty.
Hen lawiau'r teithiau tramor
a beichiau camerâu o dystiolaeth.

A dyma ni'n ôl
i ganol yr hyn ydym.
Arian mân anhrosglwyddadwy
yn eithafion ein pocedi gweigion;
a gofalus osgoi gorgyffwrdd â neb
rhag dileu ein lliw haul benthyg.

Dafydd John Pritchard (Y Cŵps)

Arwydd
(Eirlysiau ar lan bedd)

Un falerina fechan, frau –
ai dyna beth yw byw?
Rhyw ychydig o betalau o beth
sy'n gwrthod credu mewn marw…

Ond wrth blygu i'w chyffwrdd hi –
y falerina fechan yn y pridd llwyd –
mae'r carcas hwn yn crensian
a rhyw fwndel blêr o esgyrn a meinwe
a cheudod creulon lle mae'r enaid yn ymbalfalu,
yn gwegian mewn awel o amheuon.

Karen Owen (Llandysul)

Parch

Parch ydi urddas swrth yng ngwaed
Hen ddynion wedi oeri'u traed;
Nid canwr bychan, blêr ar frys
Ar lwyfan, Cnapan neu Ben-llys.

Parch ydi geirio'n garcus ddoeth
Heb bechu, ddim yn oer na phoeth;
Nid bloeddio cân i ffrind mewn cell
Na chwffio'n bowld am Gymru well.

Yn nyddiau'r siwtiau, hiraeth sydd
Am un adwaenai fod yn rhydd;
O, gwyddom ni'n rhy hwyr am barch
Ac Elfed Bach yn oer mewn arch.

Meg Elis (Waunfawr)

Cyffwrdd

Y bysedd cnotiog
ar y cwrlid
mor frau â brigau hen goeden
yn noethni ei gaeaf.
Minnau'n hiraethu am ddyddiau'r
gobeithion gwyrdd,
dyddiau y cellwair
a'r dringo gorchestol drwy gadernid
dy ganghennau,
profi eto yr haul yn mwytho fy ngwar
drwy ridens y dail.
Tithau,
a llinyn mesur safonau'n cymdeithas
yn plannu y gwrych.
Nid gweddus i dad arddangos ei gariad
at blentyn mwyach.

Tewychodd y drain.

Mae pelydr oer yr haul
yn swmera'n ddiamcan hyd y cwrlid gwyn
ac yn mwytho'r bysedd crin,
a minnau yn gaeth
tu hwnt i'r drain
yn methu ymestyn fy llaw
i gyffwrdd ynot.

Anita Griffith (Y Tir Mawr)

Cyffwrdd

Llusgodd ei lygaid lluddedig
oddi wrth y llawr
a mynnu ei llygaid hi.

“Dim ond unwaith,”
meddai’r llais llesg,
“ond mi o’n i’n ei garu.”

Llithrodd y llygaid yn ôl at y llawr
gan adael
anadliad o anobaith
yn hofran rhyngddynt
ar yr awyr antiseptig.

Yna, mewn tosturi sydyn,
rhoes heibio’r menig
a chyda dwylo glân
anwesodd ei wyneb
a’i wasgu i’w mynwes.

Un eiliad annigonol
a’i ddagrau
fel gronynnau o dywod
yn treiglo
rhwng ei bysedd.

Cynan Jones (Y Manion o’r Mynydd)

Cwymp

Dwy ganrif o baneidiau
yn chwalu'n straeon o'm blaen.

Blasu staen y dyddiau
yn y darnau brawddegau.

Bu'r tebot hwn yn rhoi'r byd yn ei le
rhwng bys a bawd,
cysuro mewn angladdau,
twymo'r dwylo cyn godro…
clust i glecs
ac ager busnesan yn codi'n
ebychiad
rhwng dau.

Yn ein dyddiau ni
o drochi bag te
o flaen cyfrifiadur
ystyriaf
chwilio am lud
a rhoi'r byd yn ôl yn ei le.

Mari George (Yr Awyr Iach)

Baner

Nid oes dwy faner yn cyhwfan
uwch llwyfan y sioe,
a hynny'n dawel sy'n dweud y cyfan,

a gwyntoedd ddoe
sy'n dal i dynnu tonnau i'r defnydd
ac yn torri ewyn eu hyfory o'r newydd,

wrth i draddodiad glymu ei garrai
a llenwi strydoedd â'i sodlau

i droedio diawlineb
ynteu coffáu'r ddau Grist
sy'n rhannu'r un bara
a choncrit,

y ddau a ddilyna'r dorf
waeth pa faner sy'n llonydd
ar bren sydd eto'n dwyn
eu galar balch i fedd na fydd
yn claddu'r brotest gyda'i bridd.

Lisa Tiplady (Pantycelyn)

Achau

Daethom yno'n un llinach
i wylad tawelwch dy wely,
a'th astudio rhag ofn
na'th welem di eto;
gwylad dygnwch eiddilwch dy ddwylo,
a chofio Taid a'r llygaid llo'n
ddrygioni drwy'i wyneb;
cofio'r ddau bigyn o'r moelni
am i Dduw
blannu coron ddwbwl o wybodaeth
i roi Taid ar ben y daith;
cofio a gwylio'r
gannwyll
yn diffodd.

Ond daw'r wawr â byd arall
i wely o wylio.
Tawelach ein meddyliau,
a ninnau'n distaw dystio
gwyrth y groth yn gweithio;
rhyfeddu at flodeuo bregus
y bysedd bach
yn llenwi'r adwy yn ein llinach;
ac o wyneb bachgennyn
dau löyn yn syllu'n siarp,
yn fwndel bach o'i achau,
a'r cof yn gwthio cudynnau
o foelni'r dyn bach musgrell
i droi yn ddwy dröell.

Nia Evans (Aberhafren)

Achau

Mae coeden ein gorffennol
Yn tyfu'n uchel iawn,
A'r brigau'n ymwahanu
Wrth geisio'r taldra llawn.

Ac er i'r dail eu cuddio
Wrth iddynt ymbellhau,
Mae'r gwreiddiau'n dal yn gadarn
A'r gangen yn cryfhau.

Ken Griffiths (Tan-y-groes)

Cwsg

Golau'n serennu
O lygad ei dŷ
Hyd oriau mân
Ei nosau du.

Ei flinder yn crefu
Yr esmwythâd,
A gofid y galon
Yn mynnu nacâd.

Dyddiau yn llusgo'n
Dymhorau di-hun
A heddiw fel ddoe
Ac echdoe yn un.

Raymond Osborne Jones (Ffair-rhos)

Hafan
(Y Gegin)

Dadwisgo'r dydd
a suddo i stêm y gegin,
y badell yn ffrwtian croeso
a'r bara'n ffres.

Symud y byd ar ein bwrdd,
a rhannu'n dydd.
Swper a sws,
ymollwng i goflaid gwin
a'n chwerthin
yn tincial yn ein gwydrau.

⋆ ⋆ ⋆

Cegin oer,
a surni swper ddoe
yw croeso'r sosbannau mud.
Hen staen pryd parod
a briwsion fy myw
ar chwâl hyd y bwrdd,
a'm hunig gysur
yn eco gwag y gwydr gwin.

Nia Môn (Criw'r Ship)

Sgwrs

Bysedd main
Yn ddawns ddi-rythm
Hyd ymylon y gwrthban gwyn,
A grawnwin rhyw wanwyn pell
Fel cymun
Ar fwrdd ei wely.
Gwefusau'n las gan ymdrech byw,
A llinellau syth, fel ei gwysi gynt,
Ar dalar lydan ei dalcen.
Dim ond yn y llygaid llwyd
Roedd y geiriau,
A'i arabedd yn fud, ac yntau'n fach.
Y fo
A fi,
Fu'n rhannu hen eiriau, hen funudau,
A hen orchest
Heno'n gwahanu,
Ac yn rhannu sgwrs
Nad oedd iddi air.

John Gruffydd Jones (Bro Cernyw)

Sgwrs
(O weld llond stryd o fyfyrwyr yn siarad i mewn i'w dwylo)

Mae'r dre yn cario'i llafar,
  ei llais sydd yn ei llaw,
mae'i chlust yn dal tonfeddi
  sy'n dod o drefi draw;
mae electronau'n trydar
  o holl fforestydd byd
gan chwalu darnau geiriau
  yn deilchion uwchlaw'r stryd.

Ac eto, drwy eu babel,
  y llanast sy'n troi'n llên
pan rof fy ngrudd wrth neges,
  a chlywed drwy'r neges, wên,
fel, dros ysgwyddau diffaith
  a'u miri yn trymhau,
bydd llygad yn cyffwrdd llygad
  a'r deall ond rhwng dau.

John Gwilym Jones (Penrhosgarnedd)

Sgwrs

Unwaith roedd y ddau
yn deall ei gilydd,
a'u sgwrs mor rhydd
â gwenith yn y gwynt,
yn sisial diog, troellog,
yna'n donnau
llawn fory a'i freuddwydion.
Ac yn ei bryd
roedd ystyr hefyd i osteg.

Heddiw siaradant pan fydd raid
i drefnu, trefnu pres a phlant,
pwy sy'n eu gweld pa bryd.
Heddiw terfynau'r cae sy'n eglur agos,
heb ddoe na fory
yn gerrynt dan y geiriau,
a does dim ystyr, dim amser
i dawelwch.

Menna Baines (Y Taeogion)

Drych

Crwydro
coridorau'r cartre,
fi a mam,
fraich ym mraich
nôl a 'mlaen.

Pob dodrefnyn yn newydd
iddi hi
eto,
a minnau'n ddieithryn,
ond wynebau cyfarwydd
sy'n ei chyfarch
o'r ffenestri gweigion.

Heibio'r drych,
hithau'n sefyll.
"Sbia," meddai,
a'i llygaid yn fflam,
"Chdi a dy fam."

Ac yn yr eiliad honno
o adnabod y rhith
drylliwyd y llun
o ddau
fraich ym mraich
am byth.

Cynan Jones (Y Manion o'r Mynydd)

Drych

(Ar ôl syllu ar hen ddarlun ysgol)

Pan fyddai'r dydd yn rhemp o haul
Ar lyn y Felin Hen,
Fe welwn yn y drych o ddŵr
Yr ŷd yn felyn wyn ar faes Cae Hir,
A deuai sŵn pladuriau pell
I suo ar yr awel,
A sisial rhwng y brwyn
A'r llifbridd hen.
Ond
Pan dynnai'r Swnt y dydd i'w chôl,
Nid oedd ar len y dŵr
Ond llun Cae Hir a'i faes
Yn llonydd lwyd
A gweddill y cynhaeaf yn lloffion
Ar y dalar fud.

A heno
Pan mae'r darlun hir
Yn troi yn felyn gyda'r hwyr,
Nid oes o fewn ei ffrâm
Ond gweddill bach ein ddoe,
A chlywaf sŵn y bladur
Yn y ffridd agosaf un.

John Gruffydd Jones (Bro Cernyw)

Egwyl
(Ger capel gwag Moreia ym Mlaenau Ffestiniog)

Yma yn hedd y mynydd
bu fforddolion y ffydd
yn paderu'r tawelwch,
a'r Moelwyn Mawr yn agor ei enau
i daflu'r eiriolaeth yn ôl i'r Cwm.

Gwŷr a'r nefoedd yng nghanhwyllau eu llygaid
a gwlith gwanwyn eu serch
yn pylu gaeaf pesychu llwch.

Pererinion y Graig
na hollta dan rym y blynyddoedd niwcliar.

Heddiw
nid oes ond sŵn y plastin
yn disgyn ar seddau gweigion
a lleithder melyn cyfoglyd
ar destamentau'r gwrthgiliad.

Egwyl a siom y galon
yn cuddio'n falch
tu ôl i leithder mwyn
y manlaw mynydd.

T.R. Jones (Y Preselau)

Egwyl

Pan ga i bum munud
i mi fy hun
ti'n gwbod beth?
Dw i am eistedd a phaentio 'ngwinedd,
gorffen croesair,
sgwennu cân,
a chyfri'r newid mân
sydd yn fy mhoced,
yfed
gwin o flaen y sgrîn,
poeni am fy ngwaith ac am yr iaith,
tynnu blewyn gwyn o'm gwallt,
a thywallt te i ni ein dau,
gwinio botwm,
a ffeindio rheswm dros ffonio Jonsi a phrynu ci,
golchi'r car
a thacluso'r drâr...

O ie,
a phan fydd pum munud sbâr
bydd rhaid i ni'n dau siarad
cyn i'r te 'na oeri...

Mari George (Yr Awyr Iach)

Cadw

Daw'r olaf o'r gwylanod
 I dynnu'r dydd o'r traeth,
Y dydd fu'n donnau llafar,
 Yn erw o dywod ffraeth:
Ofer fydd holi'r awel
 Bryd hynny i ble'r aeth.

Pan welir bysedd ewyn
 Yn rhwygo'n cestyll brau,
Pan fydd llieiniau'r llanw
 Yn golchi'r ogofâu,
Bydd hwyr pob hwyr yn nesu
 I ddifa pob parhau,

Ac eto, er na welir
 Ein hôl gan olau'r wawr,
Bydd ynof berlau chwerthin
 Yn gadwyn am byth ar glawr
A glymodd pedwar enaid
 Un dydd mewn pedair awr.

John Gwilym Jones (Penrhosgarnedd)

Y Ddrama

'Run hen stori eto 'leni,
Carolau, celyn a babi,
  Ond eleni
  Fi ydi Mair.
Fi yn bymtheg oed ac yn dlws i gyd
Yma yn y canol wrth yr un hen grud,
A chwithau yn dotio at ddoethion a sêr,
A bugail yn plygu ger y gannwyll wêr.

Ond yfory rhaid fydd dweud fy stori i,
Pan oedd sglein y sêr yn dy lygaid di,
  Yn annoeth frau
  Yng nghariad dau,
Fi yn bymtheg oed fydd yn fam iddo fo,
A'r stori yn ddrama ar dafod y fro,
A chwithau yn ddoethion ac engyl i gyd
Yn troi y ffordd arall a gadael y crud.
  Ond heno,
  Fi ydi Mair.

John Gruffydd Jones (Bro Cernyw)

Geiriau

Yr oedd iaith
heb ieithwedd
a deall diramadeg
rhyngom ein dau.
Penodau yn ongl ei aeliau,
cyfrolau mewn cysgod gwên;
gofyn heb symud gwefus
a dal y diolch yn dynn.

Greddf mam
mewn merch
yn troi'r tudalennau tawel,
yn cadw'r cloriau rhag cau;
A dim ond ambell dro
yng ngolau'r gannwyll dywyll
yn darllen
am y gwae
o golli'r geiriau.

Siân Owen (Bro Alaw)

Rhodd

(Ar ôl gwylio Muhammad Ali yn cael gwobr Personoliaeth Chwaraeon y Ganrif)

Mae'n dwylo'n crynu wrth roi'r tlws
fel pili-pala rhwng dy ddeuddwrn trwsgwl.

Ofnwn gyflwyno gair
rhag i wenynen dy dafod
ein pigo.

Cawr dan barlys
yn derbyn gwobr gwybed.

Yr ofn sy'n ein hysgwyd
yw bod clefyd
wedi cipio'r cof.

Nes i'r geiriau ymlwybro
trwy ragfur yr wyneb clo –
"Hwyrach y do i yn f'ôl."

A chawsom unwaith eto, yn rhodd
y gloywder ifanc, diguro,
y gorau.

Meg Elis (Waunfawr)

Gorffwys

(I gofio Euronwy Lloyd Jones, fy nain wen. Yn athrawes biano fedrus treuliodd flynyddoedd yn gofalu am ei thad, ei hewythr ac am fy nhaid innau gan ei briodi ychydig flynyddoedd cyn ei farw)

Dawnsiai'r dwylo main
fel dau bry copyn
ar ras igam-ogam
dros y clwydi du;
a degawdau o blant di-glem
yn rhyfeddu'n swil
at y we o gerddoriaeth
oedd yn cau amdanynt.

Gwibiai'r dwylo sgleiniog
fel gwenoliaid yn gweini
o'r bwtri i'r bwrdd
dan faich o faeth;
a thriwyr oedrannus
yn llygadu'n slei
y llond lliain o ofal
oedd yn cau amdanynt.

Crynai'r dwylo ceimion
fel menig ysgerbwd
wrth estyn te claear
at weflau crin;
a llygaid llonydd
yn gweld o bell
y llen o ollyngdod
oedd yn cau amdani.

Eifion Lloyd Jones (Dinbych)

Gorffwys

Cael dianc o'r dydd
at gwmni gwell,
at fatres chwerthin a charu
i sibrwd,
a chwysu'n serch
hyd yr oriau mân,
cyn uno –
o'r diwedd –
yng nghoflaid cwsg,
a'n noethni'n wres
drwy'r gaeaf.

Daeth haf,
ac o flinder y dydd,
caf ddianc
at gloriau rhamant.
Diffodd golau,
a "Nos da"
cyn cefnu'n gynnar
i'w gornel i chwyrnu.
Trof ar y matres oer
a choban cwmni'n
dynn amdanaf.

Nia Môn (Criw'r Ship)

Pam?

Roedd calon a breuddwydion bro
Yn curo drwy'i hatgofion hi;
Ei hedau cain yn cwirio'n co'
A'i phwythau'n gwau ein hamau ni;
Hi ydoedd cof ein hangof, hi oedd nwyd,
Hi ydoedd llais a llun ein doeau llwyd.

A hynny'n awr yw'n hunllef ni
O weld ei cho' yn ceisio'r seld,
Eiliadau dwl ei llygaid hi'n
Y cartref nad yw'n gartre'n gweld
I wedd ei merch a gweiddi am ei mam,
A'i deall pell yn ymbalfalu pam.

Pam llacio hen linynnau'i cho'?
Mae'n datod pwyth cymuned fach;
Pam darnio ceinder sampler bro?
Pa raid sisyrnu clymau'n hach?
Mae'i dryswch hithau'n un â'n dryswch ni
A'n doe yn llwch yn ei chymysgwch hi.

Nia Evans (Aberhafren)

Ffin

Sbecian dros glawdd yr ardd
Ar y pen bach crych
Yn plygu i siarad â'r blodau
A deiliaid y tŷ bach
Yng nghanol y lawnt;
Parablu wrth dedi a doli
A gwichian wrth ddawnsio
Ar ôl dau angel
O bili-pala.
A'i byd yn wyn i gyd
Ar ddydd o haf.

Bûm innau yno unwaith,
Yn yr ardd
Lle'r oedd y gwlith
Yn ddiamwntiau drud,
A'r gwawn ar berth
Yn ffrogiau dawnsio'r
Tylwyth Teg.
Ond heddiw nid oes bwlch
Yng nghlawdd y ffin.
A'r byd yn llwyd i gyd
Ar ddydd o haf.

Gwyneth Evans (Bro Myrddin)

Priodas

Dawns i ddau
fu eu dyddiau hwy.
Er dysgu'n dyner
y camau gosgeiddig
i ambell nythaid trwsgwl
yn eu tro.
Dim ond dawns i ddau
fu eu dyddiau hwy.

A heno,
ar lan rhyw aber,
fe'i gwelais
yn plygu'n addfwyn
i erfyn eto
am un ddawns.
Ond llonydd yw'r llygaid
yn y brwyn,
a'r dillad les
yn llaid i gyd.
Yntau'n aros yn glò s
a'i adain glaerwyn
yn gwarchod ei gariad
rhag ias y nodau dieithr.
Ni ŵyr yntau'r camau bellach
am mai dim ond dawns i ddau
fu hud eu dyddiau hwy erioed.

Haf Llewelyn (Penllyn)

Ofn

Daeth y lleidr yn dawel
â rhith o fachlud
yn ei gôl.

Llithrodd rhyngof a'r haul
gan ddadmer ystyr
lliwiau

a hebrwng yn ei gysgod
arswyd
colli adnabod.

Yna'r wawr ganol dydd
yn llusgo'r cyfarwydd
o'r gwyll.

Ond yn nieithrwch
munudau'r mudandod
roedd ias yr annherfynol nos.

Cynan Jones (Y Manion o'r Mynydd)

Arbrawf

Llanciau ifainc
yng ngwres y dydd
yn dilyn y drefn
a'n diogelai
wrth brofi'r Bom
a warchodai'r byd.
Troi'n cefn
a chau'n llygaid yn ufudd
nes codai'r mwg
yn gwmwl ar y gorwel,
nes i'r gwynt chwyrlïo heibio
ac nes sadio o'r tir
dan ein traed.

Wydden nhw ddim
bryd hynny,
y rhai dienw
a drefnai'n byd?
Wydden nhw ddim?
Fe wyddom ni.
Mae'r gwir
yn ein bwyta ni'n fyw,
yn mygu yn ein 'mennydd,
yn gorwynt drwy'n genynnau
ac mae'n byd
yn gwegian
dan ein traed.

Menna Thomas (Y Dwrlyn)

Parch

(Nelson Mandela)

Bu dy daith i ryddid
yn un hir.
Cerddaist o ynys dy gaethiwed
heb arwydd o falais
na chwerwder;
ni lwyddodd barrau'r gell
i bylu'r weledigaeth
a losgai yn fflam dy lygaid,
a gwelwyd eto
urddas hen dy bobl
yn y cefn na wyrodd
dan bwysau'r hualau
a lusgwyd gennyt
am lawer mwy
na'r saith mlynedd ar hugain.

Camaist o oerni'r ynys
i gefnfor o groeso
a ymledai megis ton ar don
hyd draethau
pum cyfandir.

Ann Fychan (Bro Ddyfi)

Englynion Cywaith

Y We

Nid oes gair na chyfeirnod i agor
Dy neges, neu ganfod
Ar wefan Dy fudandod
Y nod i'n byw nad yw'n bod.

(Aberhafren)

Emyn

Yn dy glyw, a'r Ysbryd Glân yn d'alw
Di, Williams, yn syfrdan,
Clywi, nid gweddi ar gân,
Nid tôn, ond Duw ei hunan.

(Pantycelyn)

Y Cynulliad

O'r ceyrydd marmor, cywrain a glywir
Rhaglawiaid yn arwain
Yno mwy, â'u Lladin main
A ddaw, rywfodd, o Rufain?

(Y Taeogion)

Pader

Wrth y palis ei sisial a wnawn i
Ar fy Nhad i'm cynnal
Hyd y wawr eto a'm dal
Yn nhir unig yr anial.

(Ffair-rhos)

Pader

Un fer, y fwynaf yw hi, rhyw siario
    a siarad a holi
  cyn gorwedd; gair o weddi;
  ennyd fach rhwng Duw a fi.

(Llanbed)

Teras Fron Haul

Fe gei lond haf o gyhoedd i dy weld
    bob dydd, a daw'r miloedd
  dan dy do, ond na, nid oedd
  iti le i'r teuluoedd.

(Y Taeogion)

Tai Fron Haul

Ofer rhywfodd fu rhifo yn fanwl
    'rhen feini, a'u trwsio'n
  hardd atyniad, heb adio
  holl ddagrau a briwiau'n bro.

(Aberhafren)

Llwncdestun
(I Lywydd y Cynulliad)

Wele'n llawen benllywydd yn weddus
    Orseddog o'r newydd.
  Meilord, rwy'n bendithio'r dydd
  Y'ch dofwyd. Yn iach, Dafydd!

(Pantycelyn)

Llongyfarchiadau

Rod, mae ein gwydrau'n codi oherwydd
Yn oriau y cyfri
Sêt a hawl a gefaist ti,
Un enillaist drwy golli.

(Crannog)

Tŷ

Mae cysur rhwng ei furiau dilychwin,
Di-lwch yw ei loriau,
Ond di-air heb gariad dau
Yw'r ias tu ôl i'r drysau.

(Y Manion o'r Mynydd)

Ffôn Poced

Yn oes yr holl ddyfeisio os hwylus
Ei alw, rhaid gwylio
In' weld ond ei alwad o
A neb yn galw heibio.

(Bro Ddyfi)

Ffôn Lôn

Mae fy mysedd yn weddi. Mae'r rhifau'n
fy mrifo. Mae'n rhewi.
Dwi ar stop. Dwi'n d'aros di.
Neb yn ateb. Ble rwy'ti?

(Y Taeogion)

John Roberts Williams

Os edrych dros ei wydrau yw ei gamp,
    Mae'n gweld gwirioneddau,
  A'r un modd eu rhannu mae
  Yn ein heniaith i ninnau.

(Waunfawr)

Cynefin

'R un hen lôn i'r un hen le, 'r un hanes
    A'r un hen wynebe'n
  Teithio ar ruthr 'nôl tua thre
  I fyd o fân ddefode.

(Penrhosgarnedd)

Hel Achau

Hel perthynas perthnasau a holi
    Helynt cenedlaethau;
  Hel cyfrinach yr achau,
  Hel yr hil i'r hil barhau.

(Tre-garth)

Cam

Wedi'r rhegi a'r crio i guriad
    Y geiriau sy'n cleisio
  Mae'r eco'n colbio'n y co'
  O hyd, er ymgofleidio.

(Y Manion o'r Mynydd)

Cam

I wlad fu'n llai na'r gwledydd mae hyder
Y Medi ar gynnydd
A'r IE yn ddechrau trywydd
Ar yr hewl i'r Gymru rydd.

(Crannog)

Pellter
(eisiau Mam)

Er bod cefnfor yn torri ym mhob gwaedd,
fy mab gwyn, er iti
adael i mi'th gysgodi,
dy dad dyna i gyd ydw i.

(Waunfawr)

Gwisg
(Mae gwyddonwyr wedi profi nad amdo Turin, un o iconau'r ffydd Gatholig, oedd amdo'r Iesu)

Gyd-bererin, gan inni hoelio'n cred
ar lun Crist yn gwelwi,
Turin hardd ein seintwar ni
yw Turin ein trueni.

(Y Taeogion)

Gwisg

Am fod y brethyn uniaith yn denau
dônt i dynnu ymaith
edau gain ein dillad gwaith
a'n dilladu â llediaith.

(Penrhosgarnedd)

Môr

Rwy'n gwylio'r môr ers oriau'n dwyn yn ôl
froc di-nod y traethau,
gan wybod bod, yn y bae,
un don wen i'm dwyn innau.

(Waunfawr)

Bore 'Fory

O, Dduw, paid â'n camddeall ni heno,
Ni sy'n cwyno'n gibddall.
Golud y byd ddaw'n ddi-ball –
Agor ddôr un dydd arall.

(Penllyn)

Priodas Arian

Pedol arian amdanoch a'i hymyl
Yn gyfamod rhyngoch,
Ac alaw hud yr hen gloch
I ganu'i miwsig ynoch.

(Ffair-rhos)

Stadiwm y Mileniwm

Adeiladwyd breuddwydion ein gwerin
Yn gaer o obeithion,
Ond o raid trwy HYDER hon
Adeiladwyd dyledion.

(Crannog)

Pen

Ni allaf innau bellach ond amau,
  Dros dymor cyfeddach,
 A wnaethom weld drwy'n sothach
 Ben y byd mewn baban bach.

(Llanbed)

Nod Clust

Er byw'n afrad a'i wadu a herio
  Ei Air a'i ddirmygu,
 Er o hyd yn fradwr hy
 Rwy'n dal yn rhan o'i deulu.

(Ysgol y Berwyn)

SWS

Ym mherlewyg y Gymru gŵl mae rhai'n
  ymroi'n gyfan gwbwl
 i gymell byd digwmwl
 a ffydd mewn paradwys ffŵl.

(Penrhosgarnedd)

Cap Stabal

Roedd mwy na chuddio'r corun yn yr act
  O'i roi, a mi'n hogyn,
 Ar fy mhen. Cynllwyn llencyn
 Oedd i ddweud fy mod yn ddyn.

(Penllyn)

SWS

Wylo ymysg eu golud yw hiraeth
    gwladgarol yr alltud,
  ond dagrau gau'r byd i gyd
  yw wylo heb ddychwelyd.

(Ysgol y Berwyn)

Zimbabwe

O raid, yn erwau'r frwydyr mae hanes
    yn hwsmona'i dolur:
  galar doe sy'n gloywi'r dur,
  bwledi'n hogi'r bladur.

(Y Taeogion)

Persawr

(Er cof am 'Y Border Bach')

Y mae arogl mieri yn y gwynt,
    A'r gân yn distewi,
  Ond daeth heulwen eleni
  Ag awyr ddoe i'w gardd hi.

(Y Sgwad)

Graffiti

Ar wal, dan ysfa'r eiliad, fe ddaw ias
    O ddal mewn ebychiad
  Â llaw rydd a chwistrell rad
  Wir ryddiaith ein gwareiddiad.

(Penrhosgarnedd)

Elusen

O weld oes o dlodi dyn, yr eiddil
Ymroddodd i'w chyd-ddyn,
A hi ynof sy'n gofyn
Am fy nhlodi fi fy hun.

(Dinbych)

Elusen

Er y dorf, rhown o orfod o'n helw
Yn eli cydwybod
Arian rhwydd, rhag tro'n y rhod
Neu aeafau i ddyfod.

(Penllyn)

Brecwast
(Mewn priodas, o gofio bod un o bob tair yn diweddu mewn ysgariad)

Er gwynned yr addunedau a wnaed,
rŷm ni wrth y byrddau
yn ddall na welsom mo'r ddau
yn eu gwledd o gelwyddau.

(Y Sgwad)

Trychineb
(Corwynt Mitch yn Honduras)

Cae llafur y tosturi yw y maes
Lle bu Mitch yn medi,
A chnydau ei hangau hi
Sy'n llawn o rawn trueni.

(Tan-y-groes)

Parsel
(Operation Christmas Child)

Rhoddais doreth o fân bethe diddim
    Nad oeddwn eu heisie
  Yn gawdel mewn bocs sgidie –
  Dyna yw 'Duw' onide.

(Bro Cernyw)

Twll
(Polo Mint)

Teiar i'm tafod diwyd, teiar mint;
    Tra mae, twll yw 'ngwynfyd;
  Yna 'mhen deunaw munud
  Y lle gwag sy'n dwll i gyd!

(Penrhosgarnedd)

Graham Henry

Er iddo ddadansoddi ei dimoedd
    I'r dim, a'u hyfforddi,
  Ar y cae 'dyw e'r Kiwi
  Dda i ddim heb fy ngwaedd i.

(Pantycelyn)

Gorsaf

Un baned a chusan wedyn a dau
    Yn y dorf cyn cychwyn,
  Yn eu hundod, yn gyndyn
  I roi'r 'Hwyl Fawr' olaf un.

(Y Taeogion)

Gorsaf

O orsafle'n gorffennol awn am dro
Am drip i'n dyfodol;
Ac ar drên i'n gorffennol
Mynd a wnawn er mwyn dod 'nôl.

(Llandysul)

Llinell

Pa eisiau tasg sy'n pwyso ar 'fennydd
rhyw fenwod 'di blino?
Mewn magl rŷm ni'n straffaglio
i gael hyd i linell glo!

(Merched y Wawr Dyfed)

Llinell

Mae ambell linell ynof yn aros
Yn daerach nag atgof,
Tôn gron yn cwyno'n y cof,
Hen drawiad o gân drwof.

(Pantycelyn)

Tân

Heddiw nid oes enhuddo y barrau
Na bore'i ailbrocio;
Ond di-wres ei anwes o
Yn nyddiau'r trydaneiddio.

(Bro Ddyfi)

Pensiwn yr Henoed

Anogwyd hel ceiniogau i dalu
Dyled fy hen ddyddiau;
O hyd, mewn henaint, prinhau
Wna 'mywyd a'i ddimeiau.

(Y Tir Mawr)

Prysurdeb

Yn dy hastio diosteg O, na baet
Yn cael byw un adeg,
Un awr o daith ara' deg,
Un heb raid byw i redeg.

(Penrhosgarnedd)

Eiliad

Yn union fel y llynedd tewai'r dorf,
Tri! Dau! Un! a bysedd
Difaddau eiliadau'r wledd
Yn brydlon eu byrhoedledd.

(Y Taeogion)

Paun
(I baun sgrechlyd Castell Caerdydd)

Clywch hunllef y pendefig ola' un
ar ei lawnt ddinesig,
heb was, heb fod yn bwysig;
llais Bute yn arllwys o'i big.

(Cwm Tawe)

Paun
(I Arglwydd y Plas)

Dy deyrnas oedd y plasau, ac enfys
    Oedd dy geinfalch liwiau;
  Heno, mor llwyd â ninnau,
  Weision, a'th gynffon ar gau.

(Y Dwrlyn)

Cae'r Gors
(Cartref Kate Roberts)

Fe welir yn adfeilion hen annedd
    Brenhines llenorion
  Mor rhwydd aeth y Gymru hon
  Yn ddiwylliant gweddillion.

(Bro Alaw)

Perthyn
(7 Mai 1999)

Y gair oedd mai breuddwyd gwrach a rannem;
    Gwyddai rhai'n amgenach;
  Ddoe o Fôn i'r Rhondda Fach
  Yr un oedd y gyfrinach.

(Pantycelyn)

Perthyn

Coed cadarn pentre Sarne yn ddeiliog,
    Yr hen ddwylo dethe
  Yn toi'r das, y gwynt o'r de,
  A gwylan dros Foel Gilie.

(Crannog)

Adnod

Er i'r amau mawr grymus daro'i ffon
drwy'r ffenest liw, erys,
yn gysur anghysurus,
darn mân o'i gwydr yn 'y mys.

(Cwm Tawe)

Laura Ashley
(Adeg tocio swyddi yng Ngharno)

Mae'n Ddydd y Farn, a Charno'n dawelach;
Lle bu dwylo llawnion
Mae llaw brad ymhell o'u bro'n
Dadbwytho dy obeithion.

(Pantycelyn)

Tad

Magodd frenin brenhinoedd yn annwyl
Gan rannu ei werthoedd,
Ond ei loes, yn dawel, oedd
Nad ei dad o waed ydoedd.

(Bro Cernyw)

Haelioni

Gwariaf gyfoeth ar foethau'n afradus,
Ond i frawd mewn eisiau,
I wella'i gur, â llaw gau
Fe gynigiaf geiniogau.

(Bro Ddyfi)

Mwyafrif
(Medi 1997)

Ar yr awel dychwelant yn eu tro
O Gatraeth y rhamant;
O'u trechu aeth y trichant
Drwy y co'n bwynt tri y cant.

(Crannog)

Ynys

Yn fynych yr af innau yn yr hwyr
Gyda'r haul i'm gruddiau
Yn sŵn cân a'r nos yn cau
Drwy'r swnt i dir y seintiau.

(Y Tir Mawr)

Ynys

Mae hon am y môr â mi yn unig,
annynol, yn gweiddi
yn ei nos, ac ni wn i
sut, sut mae croesi ati.

(Caernarfon)

Pendil

Yn y bae distawa'n bod oedi rwyf
ar draeth synfyfyrdod;
Yn y düwch dros dywod
mwy na dŵr sy'n mynd a dod.

(Waunfawr)

Tylwyth Teg
(Un o blant cartref Bryn Estyn)

Ar obennydd trybini mae'r lledrith
  mor llawdrwm wrth nosi
 a'r tylwyth teg yn rhegi
 yn hunllefau'n nosau ni.

(Y Sgwad)

Brawdgarwch

Yn hudol haul gweddi dlos anwylo'r
  Rhai na welwn beunos
 A wnawn, ond daw'r wawr a'i nos
 A rhegwn ein rhai agos.

(Penllyn)

Tom Jones

Er i'w dorf liwio'r borfa yn wyrdd, wyrdd
  Yn harddwch ei Walia,
 Dal i alw Delilah
 Mae'r hen Dom am arian da.

(Tan-y-groes)

Tom Jones

Yng nghyngerdd ein hangerdd ni oet 'wair gwyrdd',
  Oet ŵr gwadd, am 'leni,
 Ond fe aeth dy hiraeth di
 Yn hiraeth am ddoleri.

(Y Taeogion)

Hollywood

Daethom yn ôl i foli ein gilydd
mewn gŵyl eto 'leni;
a dyna oll ydan ni –
delwau aur a doleri.

(Waunfawr)

Hollywood

Hollywood sydd draw yn LA; y mae
ymhell o Zimbabwe,
y gaer lle caiff dynion *gay*
Oscars am ffilmiau *risqué*.

(Caernarfon)

Ciw

Mae inni bawb le mewn byd; er na wnawn
Ar ein hynt trwy fywyd
Ddiodde'n goddiweddyd,
I'r un gwys yr awn i gyd.

(Crannog)

Craith

Ei hagor hi roes i mi grud, ac er
Bod ysgyrion penyd
Mam yn hon mi wn o hyd
Mai hi yw edau 'mywyd.

(Y Tir Mawr)

Ffasiwn

Lased yw ei dilledyn, yna daw
  Lliwiau dawns i'w chlogyn;
 Edau o aur ddaw wedyn
 Cyn swatio a gwisgo gwyn.

(Y Dwrlyn)

Prysurdeb
(Er cof am y Parchedig D.J.Thomas)

Ddydd ar ôl dydd ar y daith drwy ei oes
  Bu'n driw i'r Un perffaith,
 Pob un her yn bleserwaith,
 Pob wythnos yn wythnos Waith.

(Crannog)

Bwmerang

Mae hen gynneddf man geni yn y graen,
  Lle bu greddf yn hogi,
 Hogi'i nod i'n tegan ni,
 Naddu hiraeth i'w dderi.

(Y Taeogion)

Bwmerang

Asgell o arf dyfeisgar a naddwyd
  O wŷdd y fam ddaear
 A'i lunio gan law anwar
 Cyn dyddiau ein gynnau gwâr.

(Bro Ddyfi)

Pysgodyn Aur

A minnau'n gawr am ennyd yn y ffair,
yn troi ffawd yn olud,
mor wag yw wyneb mebyd
a'r fowlen yn gen i gyd.

(Penrhosgarnedd)

Pysgodyn Aur

Edrych y mae o'r gwydryn ar y byd,
Ac mor bell yw terfyn
Crwn ei blaned, ond wedyn
Ni wêl ei orwel ei hun.

(Y Manion o'r Mynydd)

Si-so

Fel cofeb i ddyddiau mebyd y saif
Ar gae swings fy mywyd.
Yno yn ffansi'r funud
Rwy'n disgyn, esgyn o hyd.

(Penrhosgarnedd)

Si-so

Mae haul yn gylchau melyn yn y gwynt
I'r gŵr sydd yn esgyn,
Ond y wers sy'n profi dyn
Ydyw ysgol y disgyn.

(Y Manion o'r Mynydd)

Drws

Yr oedd oes pan gaet groeso i gamu
    yn dy gwman drwyddo,
  ond yn y glaw mae dan glo
  ac 'Ar Werth' a geir wrtho.

(UMCAholics)

Drws

Reit ar ein stepen heno y mae Un
    Sydd yn mynnu curo
  Ar wareiddiad, er iddo
  Gael o hyd ein drws ar glo.

(Ffostrasol)

Cyllideb

Y mae hon, tu ôl i'r mwg o eiriau,
    Heb ffigyrau amlwg
  I'w gweled, cans o'r golwg
  Fydd rhan dda o'r hyn a ddwg.

(Aberhafren)

Seler

Awn heddiw, a'r co'n weddol, i hawlio
    Costreli'r gorffennol
  Ac agor gwin rhagorol
  I ddwyn awr o'n ddoe yn ôl.

(Llanbed)

Hosan

Gwasgu hon a gwirioni a gofiaf;
 Gafael oedd holl asbri
 Hogyn bach. Mwyach i mi
 Y llawenydd yw'r llenwi.

(Y Tir Mawr)

Dial

Wedi brad un anfadwaith, casineb
 Sy'n cusanu'r artaith,
 A'r hen grawn gronnai'n y graith
 A weli'n ffrydio eilwaith.

(Penrhosgarnedd)

Gwobr
(Elfed Lewis)

Diwedd ei wlad oedd ei loes, a'i lles hi
 Oedd holl swm ei einioes.
 Yn awr fawr gwobr ei ferroes
 Mae'n y gro ym Mhen-y-groes.

(Ffair-rhos)

Cyngor

Cefais y cyngor gorau gan y wraig
 yn rhad, gyda'r cleisiau,
 mai annoeth oedd i minnau
 ddwyn un sws gan ddynes iau.

(Dinbych)

Cyfoeth

Ni rois arian amdani na golud
    Am gael ei phriodi,
  Ond daeth, drwy ei chariad hi,
  Y gemau'n llwythog imi.

(Tan-y-groes)

Cyfoeth
(Wrth ganu Offeren Mozart Dros y Meirw)

Ymhob un nodyn rŷm ni yn elwa,
    ac fe dalwn drwyddi
  gardod oer i'th gordiau di,
  a'n dyledion i'th dlodi.

(Y Taeogion)

Ar Gofeb Glyndŵr ym Machynlleth

Owain, tydi yw'n dyhead, Owain,
    Ti piau'n harddeliad,
  Piau'r her yn ein parhad
  A ffrewyll ein deffroad.

(Bro Ddyfi)

Croesair

Ni fynnai ildio'r stori yn rhy hawdd,
    Ond er hyn, o'i holi
  Air am air, fe'i rhoes i mi
  Yn y diwedd heb dewi.

(Crannog)

Muhammad Ali

Does neb yn wrthwynebydd, ond wele
  dy elyn dihysbydd
 yn dweud it' gyrraedd y dydd
 cei lechu'n sŵn y clochydd.

(Y Sgwad)

Muhammad Ali

Yn araf dy leferydd, ar y rhaff
  Ynghlwm rwyt, d'adenydd
 Heb ynni; cornel beunydd
 Yw llesgedd diwedd y dydd.

(Y Dwrlyn)

Neuadd Pantycelyn

Yn chwil hyd waed ei chalon, a'i heddiw'n
  Un waedd, a'i byd eto'n
 Glasu, daw i glustiau hon
 Sibrydiad hen ysbrydion.

(Pantycelyn)

Neuadd Pantycelyn

Mae hoen yn dal ei meini a sŵn cân
  Sy'n cynnal ei llechi;
 Mae angerdd yn ei gerddi
 A'n hiaith yw ei sylfaen hi.

(Y Cŵps)

Cylch
(Yng nghysgod rhagfur Glynllifon)

Cofeb gwerin ddiflino ydyw'r wal
 i drefn yr alltudio,
ond clyw, Lord, agorwyd clo
y giât i'r hogia eto.

(Glannau Llyfni)

Guinness

Ynys wedi'i gwahanu, dau elyn
 Deuliw heb gymysgu;
Os mynni'r ias o'u blasu
Ara' deg â'r gwyn a'r du!

(Penrhosgarnedd)

Guinness

Nid yw alaw y delyn, nid yw hwyl
 y gwin du o Ddulyn
na chysur Arthur ei hun
yn y diwedd ond ewyn.

(Y Taeogion)

RSPCA

O law hen daw haelioni a nodda'n
 Bonheddig dosturi,
Ond gŵyr rhai, drwy'r enbyd gri
A'u darniodd, fod gwaed arni.

(Penrhosgarnedd)

Pris

Daw ei olud a'i wala i hwnnw
A fynn fudur-elwa;
Ni ddaw darn o'r newydd da
A wariwyd ar Galfaria.

(Ffostrasol)

Baner

(Ailgladdwyd cyrff yng Nghosofo, baner eu gwlad ar eu bronnau, a gynnau'r KLA yn tanio'u saliwt)

Hon, fel y corff ei hunan, a roddwyd
I'r pridd, ond drwy'r cyfan
Mae'n parhau – a'r gynnau'n gân –
Yn y cof yn cyhwfan.

(Pantycelyn)

Gorymdaith

(Pabydd yn gwylio o'r Garvaghy)

Gam wrth gam, fel at gymun y rhodiwch
y strydoedd, a'ch sathru'n
rhoi clod i'r duwdod ei hun,
duwdod yr anghredadun.

(Y Taeogion)

Limrigau

Mae'n anodd iawn lladd unrhyw chwannen,
Mae'n symud ynghynt na malwoden,
  Ond mae Mari'n eu dal
  Rhwng ei bola a'r wal
A'u gwasgu mor fflat â phancosen.

Owen James (Crannog)

Wedi sesiwn ar y cwrw yng Nghlynnog
Doedd 'na fawr iawn o raen ar fy stumog.
  Mi lyncais reit handi
  Bump neu chwech Port a Brandi
A bûm farw yn teimlo'n ardderchog.

Huw Erith (Y Tir Mawr)

Fe gloddiwyd y twll fore Iau,
Rhyw ddwy droedfedd sgwâr fwy neu lai,
  Ond fe'i caewyd o'r pnawn –
  Doedd o ddim 'n y lle iawn.
Gawn ni wybod ar bwy oedd y bai?

R. Alun Evans (Tre-garth)

Caed cwyn bod twll bach mewn llecyn
Yn y wal 'gylch y gwersyll noethlymun,
  A'r Cyngor anfonodd
  Saith dyn (ac un drosodd)
I edrych i mewn iddo'n sydyn.

Ann Davies (Llansannan)

Un diwrnod wrth olchi colomen
Edrychais i lan, ac ar wifren
  Yn eistedd yn swel
  Roedd Ffordyn bach del
Yn gollwng llond tanc yn ddiangen.

Geraint Williams (Pantycelyn)

Pan aeth Wili ar wylia 'fo Wali
A hwylio o'r Bala i Bali,
  Wel, bob dydd yr oedd Wili
  Yn halio'r hen Wali
O'i wely am fod Wali 'di dal hi!

Caryl Parry Jones (Y Taeogion)

Wrth ollwng Jên Meri i'w beddrod
Roedd dagrau yn llygaid Now'r Hafod,
  Wil Llefrith yn beichio,
  Dic Saer yn ochneidio,
A'i gŵr 'di anghofio yn barod.

Edgar Parry Williams (Y Manion o'r Mynydd)

Mae 'na lawer i greadur na ŵyr
Beth ydyw hapusrwydd yn llwyr.
  I geisio ei brofi
  Mae rhai yn priodi
Ac yn deall beth yw – yn rhy hwyr!

Llion Derbyshire (Criw'r Ship)

Roedd Owain Glyndŵr eisiau codi
Senedd-dy a weddai i arglwyddi;
  "Rhy ddrud," meddai ambell
  Amheuwr a chymell
Rhoi pabell ym Mae Aberdyfi.

Emyr Davies (Y Taeogion)

A'r gŵr newydd gael ei archwilio
Ar ôl colli'i gof, amser cinio
  Medd Jên yn y bac,
  "Beth ddwedodd y cwac?"
"Wel diawch," meddai Jac, "dwi'm yn cofio."

Emyr Jones (Bro Cernyw)

"Rhaid bwyta yn iach," meddai Guto,
"Dim braster, dim byd wedi'i ffrio."
  Fe ffêdiodd i ffwrdd
  I rywle dan bwrdd.
Câi g'nebrwn pe medrwn ei ffendio.

Huw Erith (Y Tir Mawr)

Fe dreies, ond wnes i ddim llwyddo,
Er hynny dwi 'rioed wedi twyllo;
  Ond os ca' i gyfle
  Cyn diwedd fy nyddie
Efallai ga' i drei unwaith eto!

Lynn Davies (Penrhosgarnedd)

Fe gafodd lond bol o'r bwyd iacha
Nes wastio fel papur o dena.
  Fe'i gwthiwyd â pharch
  I amlen o arch
Ac yna ei phostio i'r byd nesa.

Berwyn Roberts (Dinbych)

Yn y gêm roedd y canmol yn fawr
Am ein stadiwm ysblennydd ni 'nawr
  Ond aeth pawb o'u co
  Pan gaewyd y to –
Mae'r bêl yn dal heb ddod lawr.

Huw Llywelyn Davies (Y Dwrlyn)

Mae 'na siop 'Pets R Us' yn Y Bala,
Mae pob ci yn y byd 'ma i'w gweld 'na,
  Yn Bwdls, Alsations,
  Cŵn Defed, Dalmations,
Ond esh i 'na i brynu Chiwa-WA.

Caryl Parry Jones (Y Taeogion)

Tae Melangell yn gwisgo sgert fini
A minnau yn sgwarnog fach heini
  Mi fyddwn yn cuddio
  Am 'mod i'n enjoio
Ac nid am fod cŵn ar fy ôl i.

Hedd Bleddyn (Bro Ddyfi)

Hen lanc o Sir Aberteifi
Ofynnodd i ddwy ei briodi.
  Er erfyn sawl tro
  Ei wrthod gadd o
A phrynodd fashîn golchi llestri.

Eirlys Hughes (Penllyn)

Hen ŵr o Lanberis sy'n poeni
Y bydd noethlymunwyr eleni
  Ar draethau Meirionnydd
  Yn haid ddigywilydd.
Mae newydd gael sbinglas i'w cyfri.

Edgar Parry Williams (Y Manion o'r Mynydd)

Roedd bachan yn byw 'Nhan-y-groes
Wedi meddwl cael byw trwy ei oes.
  Un dydd cafodd siom
  Pan syrthiodd fel bom.
Mae 'na rai yn anlwcus on'd oes.

Hywel Mudd (Beca)

Roedd merch la la la la Brynmynach
Yn la la la la draw yng Nghlarach.
  Mae dweud la la la
  Yn syniad reit da
I mi gael cadw'r gyfrinach.

Hedd Bleddyn (Bro Ddyfi)

Pa ddiwrnod wrth garthu'n y beudy
Gofynnaith yn gwrtaith i Deithi,
  'Thymud dy dro'd.'
  Gwna'th yn ddi-o'd
A chicio pob dant math o 'ngheg i.

Eirwyn Williams (Llanbed)

Fel hyn bydda i'n byw fy nghyfran,
A waeth gen i ddim am eich cwynfan.
  Mi 'dach chi sydd o hyd
  Yn gwneud popeth mewn pryd
Yn debycach o farw yn fuan.

Dafydd Chilton (Bro Cernyw)

Fe weles hen ddyn yn Llan-non
Yn pwyso'n go drwm ar ei ffon.
  Fe gath e gryn sioc
  Pan ganodd e toc –
Hen beth slei yw'r to bach yn y bon.

Geraint Williams (Pantycelyn)

Ni thorrodd un soser na chwpan,
Ni thorrodd y gyfraith yn unman,
  Ond wir pan fydd Cath
  Yn gorwedd mewn bath
Mae bybyls yn torri ym mhobman.

Arwel Jones (Tan-y-groes)

Gwnaeth nifer yr un camgymeriad
Rhwng AIACS a'r ffurflen enwebiad.
  O rengoedd y Tori,
  Lib, Lab a'r Welsh Party
Etholwyd sawl llo i'r Cynulliad.

Rhodri Dafis (Cwm Tawe)

Rhois arian pob Talwrn y radio
I gyd mewn un cyfrif cynilo.
  Ar ôl chwarter canrif
  Defnyddiais y cyfrif
I brynu dwy bensel a beiro!

Hedd Bleddyn (Bro Ddyfi)

Roedd gŵr 'dan ni gyd yn ei nabod
Hefo gwraig rhywun arall un diwrnod.
  Fasa wiw imi ddweud
  Beth oeddan nhw'n neud,
Ac felly chewch chitha ddim gwybod.

Geraint Jones (Bro Alaw)

Rwy'n selog bob Sadwrn yn gwylio
Y genod sy'n frwd yn pêl-droedio.
  Mae y tictacs yn wael
  Ond mae bonws reit hael
I'w gael pan gaiff crysau eu ffeirio.

Arwyn Roberts (Bro Alaw)

Aeth Ifan i hela i'r jyngl
A chanddo Tshiwawa a Phwdl.
  Aeth y ddau gi i'r dŵr
  (Gweld Hipo mae'n siŵr)
Does dim byd ar ôl ond dwy fybl.

Emyr Davies (Ffostrasol)

Fe gwrddais â rhywun o Tokyo
Heb wybod ai merch ai dyn oedd-o.
  Mae un peth yn siŵr
  Os oedd o yn ŵr
Roedd rhywbeth o'i le yn ei jîns-o.

Hedd Bleddyn (Bro Ddyfi)

Mae llawer o bobol yn Stirling
Ond mae tipyn mwy yn Darjeeling,
  Mae llai yn y Sarne
  Nag sydd yn Harrare –
On'd dydi 'stadege yn boring?

Llion Derbyshire (Criw'r Ship)

Un garw 'di P.W. Botha.
Mi ddoth hefo fi i bysgota,
  Ond ddaliodd o ddim,
  Roedd y ffish yn rhy chwim,
So mi bwdodd gan ddweud 'Stwffia fo 'ta.'

Geraint Lovgreen (Caernarfon)

Mae nacw wrth ochor yr afon
Am deirawr bob bore yn gyson
  Yn chwipio y dŵr,
  I be dwi'm yn siŵr.
Rwy'n cyffio wrth wylio'r diawl gwirion.

R. Gwynn Davies (Waunfawr)

Mae'r Cwîn yn sôn am riteirio
I fynglo yn ymyl Llandudno
  A rhoi Buckingham
  Yn anrheg i'w mam
I fyw am ryw ganrif fach eto.

Hedd Bleddyn (Bro Ddyfi)

Wrth fodio cyfrolau'r Talyrne
Gan feddwl cael 'benthyg' syniade,
  Pob trysor a welais
  'Na bleser a gefais –
We'n enw i dan bob un o'r perle!

Eifion Daniels (Beca)

Petai stabal Bethlem yn Lerpwl
Fe fyddai y Doethion mewn trwbwl
  Am na fyddai'r un camel
  Wrth gerdded drwy'r twnnel
Yn gweled 'run seren o gwbwl.

Hedd Bleddyn (Bro Ddyfi)

I arbed yr arian tragywydd
Aeth Maud, ac yna y Llywydd,
  A synnwn i fawr
  Mai'r cynllun yn awr
Yw cael timau all farcio ei gilydd.

Owen James (Crannog)

Roedd Dad-cu yn bencampwr am facsu
Y cwrw bach gore yng Nghymru.
  Roedd llond un llwy de
  Yn hela popeth o'i le
A'r nenfwd yn gorwe' dan gwely.

Reggie Smart (Y Preselau)

Un noson yn ymyl Llangeler
Fe welwyd yn glir lle mae'r prinder.
  Daeth tîm Y Taeogion
  Mewn drudfawr foduron,
A thîm Tan-y-groes mewn dwy whilber.

Arwel Jones (Tan-y-groes)

Un noson yn ymyl Llangeler
Tan-y-groes aeth am sesh i ryw seler.
  Ar ôl meddwi yn honco
  Gwnaed eu tasge nhw yno…
'Na'r stwff gore i ni glywed ers amser!

Caryl Parry Jones (Y Taeogion)

Penillion Ymson

Cyn ateb ffôn

Luciano Pavarotti,
Wyt berson eithaf plwmp,
Ond plîs paid mynd yn wallgo
A'm gwasgu nawr yn stwmp.
Sut medrwn i ragdybio,
A thithau ar 'Top C',
Y byddai'r wraig yn galw
Fy ffôn symudol i?

Elwyn Breese (Bro Ddyfi)

Ar ôl siarad â chymydog

Mae caru cymydog
Yn hawdd iawn i ddyn
Pan gaiff o gymydog
Mor lluniaidd ei llun.

Edgar Parry Williams (Y Manion o'r Mynydd)

Wrth agor llenni

Wrth llnau festri Seilo rhyw brynhawn dydd Llun
Ar ôl y pwyllgor fu i drafod Cytûn,
Mi glywais ryw gyffro tu ôl i'r llenni,
Dyma fi yno a'u hagor reit handi,
A gweld cyfeilyddes yr Anglicaniaid
Ym mreichiau gweinidog y Presbyteriaid,
A dyma fi'n dweud heb arlliw o gerydd,
"Da gweld yr enwadau'n dod at ei gilydd."

Huw Dylan (Ysgol y Berwyn)

Ar lwybr cyhoeddus

Cherddodd neb y ffor' hyn ers blynyddoedd,
Ma'r mieri 'ma reit at 'y ngwar,
Ond dwi'n siŵr basa mwy'n 'i ddefnyddio
Tasan nhw'n neud o'n addas i gar.

John Ogwen (Penrhosgarnedd)

Mewn ffos

Os pwdwr a chwerw'r chwys yn y baw
   lle mae'r bedd mor farus,
 i'r crach yn y tei a'r crys
 mae rhyfela mor felys.

Ceri Wyn Jones (Y Taeogion)

Wrth siopa Nadolig

Dwi 'di gorffen y cyfan,
Ni chymerodd brynhawn.
Mor bell yw y dyddiau
Pan oedd fy rhestr yn llawn.

Huw Dylan (Ysgol y Berwyn)

Wrth siopa Nadolig

'Tri ŷm ni o'r dwyrain draw,'
Wel, un a dweud y gwir,
Mae'r ddau arall wedi cychwyn,
Mi dilyna i nhw cyn hir.
Be' goblyn ga i'n anrheg dwch?
Yn wir mae'n ddiawch o broblem.
O wel, rhaid jest gobeithio
Bod 'na 'Toys R Us' ym Methlem.

Sioned Huws (Penllyn)

Mewn sawna

Beth tybed sydd ar gefn y tewbwl ugain stôn?
Tatŵ o Gymru gyfan, o Fynwy i Sir Fôn,
A thra mae'n araf doddi rwy'n edrych arno'n syn
Wrth weled Ynys Enlli'n nesáu at Synod Inn.

Emyr Davies (Ffostrasol)

Pry copyn ym mhorth capel

Dwi wedi bachu'r seddau croes
A'r seddau blaen i gyd ers oes,
A nawr, heb neb yn 'dod ynghyd'
Ers talm, ys dwedant, gwyn fy myd.
Caf weithio rhwyd o'r llofft i'r llawr
A thros glustogau y sêt fawr
Gan wybod fod y drws ynghau.
Does neb i darfu, neb yn llnau.
'O hyfryd ddedwydd nefol le' –
Mae Salem oll yn reit o' we!

Enid Wyn Baines (Glannau Llyfni)

Ym mhorth capel

Dwi'n curo ar y drws ers awr,
Mae'n anodd cael mynediad.
Ble'r aeth y ddau o fownsars mawr
Wrthododd fy nymuniad?
Ar dy leferydd ar fy nghlyw
Bydd rhaid i mi fodloni.
Gwaith anodd yw – a fi 'di Duw –
Mynd i gapel Doctor Paisley.

Huw Erith (Y Tir Mawr)

Wrth oleuadau traffig

Eisteddaf ar ffo ger y golau coch
A chysgod ei fonclust yn drwm ar fy moch,
Ond wrth i'r goleuni droi'n felyn eto
Mi wn mai adref y byddaf i'n teithio.
Ac ystyried a wnaf, a'r golau'n troi'n wyrdd,
Tybed a fydd ef yn newid ei ffyrdd?

Efa Gruffudd (Yr Awyr Iach)

Wrth oleuadau traffig

Y ffŵl 'na 'di stopio o 'mlaen i,
A lamp goch ar ei do, am wn i.
Bydd yn rhaid tynnu allan a'i basio,
Rwy fod gyda'r optegydd am dri.

Bethan Evans (Merched y Wawr Dyfed)

Yn sedd gefn y Plaza

Dim ond cnec fach ddiniwed a wnes i,
A na, y mae Martha 'di mynd.
Diflannodd fel Scarlett O'Hara,
Ac mae'r cyfle yn 'gone with the wind'.

Dylan Jones (Y Taeogion)

Ar ddiwedd blwyddyn ariannol

Dwi'n rhoi'r gorau i fod yn dalyrnwr,
Wrth weld y ffurflenni yn bentwr.
  Mae'r dyn treth yn siarc,
  Mae'n codi punt am bob marc.
Dwi'n poeni y bydda i'n fethdalwr.

Llion Derbyshire (Criw'r Ship)

Wrth gloi drws

Rwy'n aelod o'r Cynulliad –
Mae'n strach y dyddiau hyn.
Rwy'n falch o ffoi i'r toiled
A chloi y drws yn dynn.
Caf heddwch yma i feddwl
Am rywbeth doeth i'w ddweud,
Ac ar y sedd fach yma
Rwy'n gwybod be' dwi'n neud.

John Eric Hughes (Bro Cernyw)

Wrth wylio gêm

Mor ddiflas ydyw dilyn
Pêl denis nôl a 'mlaen,
Ac mae fy ngwar i bellach
Yn dechrau teimlo'r straen.
Ond wele, dyma strîcar,
Un fenyw, fronnoeth, fawr;
Mae 'ngwar i'n gwella rŵan
Wrth fyned lan a lawr!

Elwyn Breese (Bro Ddyfi)

Mewn golchdy

O, na allwn roi y Meuryn
Yn y peiriant un prynhawn,
Golchi'r llwch oddi ar ei lygaid,
Sbinio'r cwyr o'i glustiau llawn.
Hwyrach y cawn innau wedyn
Esgyn fry i'w ddinas deg.

Edgar Parry Williams (Y Manion o'r Mynydd)

Mewn golchdy

Wrth eistedd hefo'r Persil
Rwy'n sâl fy swydd, tewch sôn,
Yn golchi gynau gwynion
Pwysigion Gorsedd Môn.
Pe gallwn ròi y Cyngor
Mewn trwmbal mawr fel hyn
Cawn glod gan Lais y Bobl
Am droi y du yn wyn.

John Wyn Jones (Bro Alaw)

Wrth ddarllen papur

Petase fy ngwraig i
Cyn ddeled â hon
Faswn i ddim yn darllen papur
Bob munud bron.

Rhys Dafis (Aberhafren)

Wrth ddarllen papur

Mae straeon Sarajevo
yn codi'r cwestiwn eto:
ai dim ond inc y ddalen flaen
yw'r staen sydd ar fy nwylo?

Emyr Lewis (Cwm Tawe)

Wrth weld arwydd

(Arwydd dwyieithog a'r Gymraeg eto fyth yn anghywir)

Cyn i chi sgriwio'r caead
A rhoi'r plât ar wyneb fy arch,
Gwnewch yn siŵr bod fy enw yn gywir
Fel ca i fynd hefo mymryn o barch.

John Ogwen (Penrhosgarnedd)

Wrth borth mynwent
Pan ddaw y dydd bydd raid i minnau fyned
Yn fud drwy borth y fynwent yn fy arch,
Ysgwn i ddaw y Meuryn yno i adrodd
Un limrig fach o wir ddyledus barch?

Edgar Parry Williams (Y Manion o'r Mynydd)

Wrth borth mynwent
(Gweinidog yn siarad)

Amhosib oedd gwrthod gwraig daer y Tŷ Capel
A'i tharten a'i hufen, a hithau heb ŵr,
Ond mae'r riwbob yn tyfu fan acw'n y fynwent
Yn y gornel lle'r arferai'r blaenoriaid wneud dŵr.

Sioned Huws (Penllyn)

Mewn oriel
Waeth imi gyfaddef na pheidio,
Dydi o'n gwneud dim o gwbwl i mi,
Wel, dim ond f'atgoffa o'r carped
Y noson bu chwiw ar y ci.
Ond gan fod pawb arall yn brolio
Mae'n amlwg mai fi sydd yn ddwl,
Ac felly, O ydi! Anhygoel!
Ond dydi o'n llun Wyndyffwl!

Delyth Roberts (Llanefydd)

Yn Sain Ffagan
Hawdd iawn, fel mewn barddoniaeth, yw i mi
roi mawl i dreftadaeth
erwau gwell yr og a aeth,
cysuron cwysi hiraeth.

Ceri Wyn Jones (Y Taeogion)

Mewn tafarn

Mae'n bryd mynd adre erbyn hyn,
Roedd nacw â'r gwallt arian
Yn hyll uffernol awr yn ôl –
Dwi'n 'i gweld hi reit dlws rŵan.

Elwyn Breese (Bro Ddyfi)

Mewn tafarn
(Yn ardal Machynlleth)

Mae hon y futraf i mi yn y plwy
ac mae plac bach dinji
ar fwrdd draw, rhyw fwrdd i dri:
'Bwrdd yfed beirdd Bro Ddyfi'.

Dylan Jones (Y Taeogion)

Y tu ôl i lori

Os basia i Mansel fan'ma
Mi wn beth fydd fy ffawd:
Codi dau fys wrth basio
A chwrdd â thin ei frawd.

Dafydd John Pritchard (Y Cŵps)

Ar bont

Wrth wrando'r dŵr yn suo
O dan y bont rwy'n teimlo
Bydd raid i minnau fod yn hy
Ac ychwanegu ato.

Edgar Parry Williams (Y Manion o'r Mynydd)

Ar bont

Rwy'n cerdded lawr yr ysgwydd,
Mae'n dal yn gryf a chadarn.
Bydd rhaid mynd rownd y dyffryn draw –
Mae peils ar Bendigeidfran.

Gwenan Gruffydd (Y Tir Mawr)

Mewn trên

Ers blwyddyn rwyf wedi trafaelio
Ar rwydwaith y rheilffordd i gyd
Gan weld golygfeydd bendigedig,
A hynny heb dalu dim byd.
Nid wyf ond rhyw frechdan domato
Yn eistedd mewn bwffe di-nam
Gan wenu ar bawb sydd yn pasio
Ynghanol brechdanau ham.
Gwell gennyf weld system y rheilffyrdd
O becyn bach plastig yn gaeth
Na diodde fy mwyta gan rywun
A theithio trwy system lot gwaeth!

Elwyn Breese (Bro Ddyfi)

Wrth gofgolofn

Dwi'n edrych i fyny atat,
Ond edrych i lawr mae'r byd.
Bu llinyn beirniadol Hanes
Yn ailfesur dy led a'th hyd.
Mae dy fawredd mor farw â'r garreg
A naddwyd o greigiau dy fro,
Neb bellach yn cofio amdanat
Ond yr adar uwchben ambell dro.

John Ogwen (Penrhosgarnedd)

Penillion Mawl a Dychan

Traws Cambria

Gadewais dref Caergybi
  Ymhell cyn toriad gwawr
A chyrraedd Cardiff City
  Ar ôl rhyw ddeuddeg awr.
Ni wyddwm i tan hynny
  Fod Cymru fach mor fawr.

Aerwen Griffiths (Llanbed)

Y Cynulliad

Wrth gynnull i lawr yn y Bae dydd o'r blaen
I drafod cofnodion un pedwar dim dot,
Un peth oedd yn codi yn amlwg a phlaen
Fod angen cyfarfod yn amlach o lot.

Arwel Jones (Y Cŵps)

Y Cynulliad

Ar barasiwt o'r gofod
Y glaniodd gyda graen.
Bydd gwneud ei siwt i bara
Yn dipyn mwy o straen.

Ken Griffiths (Tan-y-groes)

NATO

Yr hwn sy'n ddieuog
wrth fynd i ryfela
yw'r un a gaiff danio'r
taflegryn cynta'.

Dylan Jones (Y Taeogion)

Teledu Digidol

Dechreuwn ganu, dechreuwn ganmol,
Mae S4C ar deledu digidol.
Cawn weld Magi Post yn cloncan yn Nallas
Ac Angharad Mair yn concro Las Vegas.
Bydd ambell greadur yn anialwch Irac
Yn bennaf ffan i Wil Cwac Cwac.
A dyna chi ddoniol, bydd pobl Shanghai
Yn dechrau siarad fel Jenny a Dai;
Bydd y Byd ar Bedwar ym mhedwar ban
A phawb yn eiddgar am gymryd rhan.
Ond heno'n ein gwlad, draw ger y ffin,
News o'r North West sydd ar y sgrin.

Efa Gruffudd (Yr Awyr Iach)

Y Gymdeithas Adeiladu

Er lles dy holl aelodau,
Ac nid er elw a gwanc
Y prynaist fôt d'aelodau
A'th droi dy hun yn fanc.

Alwyn Evans (Tre-garth)

Y Lotri

Mae rhif dannedd Anti Meri
A phwysau Yncl Jo,
Maint bronnau merch y ficer
A'r pris ges i am lo,
Y marc ges ar y Talwrn
A'm hoedran innau, bron,
Yn cadw'r celfyddydau
I fynd am flwyddyn gron.

Hedd Bleddyn (Bro Ddyfi)

Stondin Sulwyn

Mae pwrs y fuwch fel lastig
A'r llaeth yn fain gythreulig.
Cawn bwys o fenyn mas o ddŵr
Gan gorddwr bendigedig.

Eirwyn Williams (Llanbed)

Rheol

Dim ond agor y drws
i aïr sydd isio
ac yn sydyn fe gerdda
sawl brawddeg drwyddo.

John Ogwen (Penrhosgarnedd)

Rheol Gymraeg yr Eisteddfod

Yn Awst, fe daerwn drosti â rhyfyg
    Ein Prifwyl; ym Medi'n
  Fuan iawn anghofiwn hi
  A'i hiaith wirion, a'i thorri.

Emyr Davies (Y Taeogion)

Perchnogion Cŵn

Cadwai Tony, ein cyfaill o Lundain,
Ei hen bwdl ar dennyn go dynn,
Ac er garwed yw gwep ei gi newydd
Natur pwdl sy'n hwn erbyn hyn.

Huw Edwards (Pantycelyn)

Pêl-droedwyr

"O, peniad gwych gan Zamorano!"
Mae Nic Parry'n ei elfen yn poeri a lithpio,
Yn ceisio cyfleu cyffro'r chwarae yn Bartha
Ac yntau'n Stad Cibyn ymhell o Valenthia.
Ond ai sgiliau pêl-droedwyr sy'n achosi'r holl gyffro
Ynteu lefel crys-T Amanda Protheroe?

Sioned Huws (Penllyn)

Y Pentref Taclusaf

Mae hwn y pentref harddaf
  A greodd dyn a Duw,
Mae hefyd y taclusaf –
  Does yno neb yn byw.

Elsie Reynolds (Merched y Wawr Dyfed)

Yr Etholiad

Yn nyddiau Magi Thatcher
Cwtogwyd ar y pres
Gyfrannwyd at ein haddysg,
Sut medrai fod er lles?
Ond mewn etholiad 'leni
Yn fantais fawr fe droes,
Cans nid oedd rhai Ceidwadwyr
Yn gallu sgwennu croes.

Elwyn Breese (Bro Ddyfi)

Rupert Murdoch

Rwy'n gweld o bell y dydd yn dod
pan fydd pob papur is y rhod
  yn nwylo Rupert Fawr
a holl soseri'r byd yn grwn
yn bod i hybu teyrnas hwn
  dros wyneb daear lawr.
Mae'i deg oleuni'n dallu'r wawr.
O wlad i wlad ymgrymwn nawr
  pan fyddo ef gerllaw.
Mae Clwb Man U yn llawenhau
wrth weld yr Haul yn agosáu
  a BSKYB 'n ei law.

Enid Wyn Baines (Glannau Llyfni)

Richard Branson

Mae'n rhaid i mi longyfarch y gŵr a aeth ar hynt
Gan godi o'r anialwch heb ddim i'w ddal ond gwynt.
Mor ddewr y bu'r creadur, bu bron i'r gwynt droi'n gac
Pan gafodd rybudd Saddam wrth hwylio dros Irac.
Yr oeddwn i yn Llundain y dydd y cododd o,
Trafaeliais ar ei Virgin Train ac nis anghofiaf dro.
Y trên yn hwyr yn cychwyn o Fangor, ond i be'
Y cwynaf wir am hynny? Haws beio pris ei de,
A'r drafft drwy ddrws y toiled, ond nid ar Dic roedd bai
Ond ar hen gogydd British Rail, mab rhywun yn Dubai.
Na, peidiwn beio Richard; fe ŵyr beth yw Tai Cŵn
A chred caiff wynt o Gyngor Môn tro nesa' i'w falŵn.

Eurfon (Broydd Hud)

Yr Ewro

Ti yw'r un a ddaeth i'n hachub
  Rhag y cyfnewidwyr gau;
Chwifio'r fflangell, troi y byrddau
  A glanhau yr ogofâu.
Wele, daeth yr Un i'r Ddinas,
  'Haleliwia' yw ein cân,
Eiddo Cesar roed i'r Kaiser,
A'r Deml sy'n dragwyddol lân.

Cynan Jones (Y Manion o'r Mynydd)

Richard Branson

Gwyn ei fyd yr archfiliwnydd
Sydd yn hedfan rwla beunydd,
Ac fe fydd yn cyrraedd, weithia',
Fel ei drên, i ben ei siwrna'.

John Wyn Jones (Bro Alaw)

Cofis

Daeth y Rhufeiniaid yma ganrifoedd yn ôl
A chodi slaffar o ffort ar y bryn
A'i galw'n Segontiwm, ond does dim ar ôl
Ond cerrig ar flew cae erbyn hyn.
Yna daeth Cin Edward at ymyl y dŵr
I godi'r castall mwya'n y byd
A gosod soldiwrs efo gwn ar ben bob tŵr
I saethu at Cofis yn stryd.
Ma' Macsan Wledig wedi miglo'i o dre
A Cin Edward a'i filwyr i gyd
Ond ma'r Gymraeg yn dal i lifo i lawr Stryd Llyn,
Ac ma'r Cofis yma o hyd.

Dafydd Iwan (Waunfawr)

Unrhyw Wasanaeth

Does ddigon o arian i'w gael gan y banc
Fo'n haeddiant i wagwr y septic tanc.
O holl gymwynaswyr cymdeithas cefn gwlad
Hwn ydi'r pwysicaf, does undyn a wad.
Rho barch iddo. Cofia mae'n gyfaill mawr it'
A heb ei wasanaeth byddet ti yn y ...
trwbwl mwyaf ofnadwy.

Gwilym Morris (Llanefydd)

Cywirdeb Gwleidyddol

Cei chwynnu y goli o'r marmled,
Cei ddweud 'cydraddoldeb i'r blacs',
Cei dyngu'r 'un hawliau i bobun',
Cei dynnu 'eithafwyr' yn rhacs,
Cei fynnu mai'th fraich dde yw 'tegwch',
Cei ddangos dy ddannedd di-frath,
Cei lechu dan glogyn cywirdeb,
Cei raffu anwiredd 'run fath.

John Ogwen (Penrhosgarnedd)

Cywirdeb Gwleidyddol

Dwi byth yn dweud jôcs hiliol,
Dwi'n Cŵl Cymro reit siŵr, welwch chi,
Ond wn 'im be wna i, ai sefyll
Neu eistedd pan wyf yn Pi-Pi.

Cynan Jones (Y Manion o'r Mynydd)

Llyfr y Flwyddyn

Mi sgwennais i o un nos Sadwrn
'Rôl chwe pheint o Triple X
A chynnwys hen lunia' rhyfedd,
A chyfran helaeth o sex,
A'i alw fo'n 'Cam a Swta',
(Y wraig rodd y teitl i mi)
Mi werthodd fel slecs ym mhobman,
Ges inna' gythral o ffi.
Mi sgwenna i un arall rŵan,
Wel gwnaf yn wir ar fy llw,
Ac enw y gyfrol newydd?
Be' am 'Cam a Swta Tw'?

John Gruffydd Jones (Bro Cernyw)

The News of the World

Mae beibil mawr y tabloids
Yn haeddu mawl a chlod,
Efengyl Rupert Murdoch
Sy'n uchel iawn ei nod.
Cawn bregeth am bechodau'r
Ffaeledig ar y Sul
A'u gweld yn mynd yn borcyn
Ar hyd y llwybyr cul.

Elwyn Breese (Bro Ddyfi)

Ailgylchu

Eich caniau a phob potel, rhowch hwynt i gyd mewn bin,
Fe gewch ailgylchu sbwriel mewn peiriant erbyn hyn,
A rhowch Rod Richards yntau yng nghrombil y mashîn
A'i falu a gobeithio y daw e mas yn ddyn.

Emyr Davies (Ffostrasol)

Pleidlais Gyfrannol

Mi rois bleidlais i'r Ceidwadwyr,
Dwy i Lafur, tair i'r Blaid,
Un yr un i'r Gwyrdd a'r Lib Dems
Ac un i'r Comis – er cof am Taid.
Ac er mwyn cael balans perffaith
Un i'r *Rhuddlan Council Debt*,
Dwy i'r Sosialusts Unedig,
Mae un o'r rheini'n fab i'r fet.
Wn 'im pam mae pawb mewn panig
Yn trio 'sbonio'r peth i ni
Ac yn rhefru 'i fod o'n gymhleth –
Roedd o'n ddigon hawdd i mi.

Gwenan Gruffydd (Y Tir Mawr)

Y Cenhedloedd Unedig

Er cetris chwyrn, er catrawd,
a phwnio gwn a phennawd,
yn nannedd blaidd byddinoedd blin,
mae'n fyddin dros gyfaddawd.

Robat Powell (Cwm Tawe)

Englynion

Oes yn wir, mae bro dirion i'w gweled
Dros giliau'r gorwelion;
Ni ellir gweld Afallon
Sydd gwarter awr lawr y lôn.

Idris Reynolds (Crannog)

Tros nos bu farw'r rhosyn a wylodd
Ei betalau claerwyn
Yn hydre'r ardd, ond er hyn
Oeda ei bersawr wedyn.

Machraeth (Broydd Hud)

Antur yw sgwrs i blentyn, a daw'r sêr
Drwy siarad glaslencyn,
Ond arabedd diwedd dyn
Yw dweud mud, a dim wedyn.

Iwan Llwyd (Penrhosgarnedd)

Mi wn i fod mami newydd gennyf,
A gwn na chaf gerydd,
Ond cofio'r hen suo sydd
Yn boenus ar obennydd.

Emyr Jones (Tan-y-groes)

Er bod mileniwm ar ben, ni bu'i le
Ond blip ar D'amserlen,
A'r Dôm ond ofer domen
Dan hael ehangder Dy nen.

J. Morris James (Ffostrasol)

Rhodiem, a ni'n gariadon, otani
  Ond heno mor greulon
 Dod nôl at y goeden hon
 Eilwaith i dorri calon.

John Rhys Evans (Llanbed)

Yn fy ôl yr af o hyd i fawrhau
  Hen fro wen fy mebyd
 A chael ar ôl dychwelyd
 Y ddoe gwyn yn g'lwyddau i gyd.

Dafydd Wyn Jones (Bro Ddyfi)

Ydw wir, rydw i'n Dori, hen lwynog
  O linach wych Magi;
 Ym mhob peth rwy'n stwff MP –
 Chwil, hawddgar… a chelwyddgi.

Iwan Bryn Williams (Penllyn)

Dewisant hanner dwsin a bonws
  Am bunnoedd yn rhibin,
 A neb wrth y preseb prin
 Yn rhannu cyfoeth Brenin.

John Rhys Evans (Llanbed)

Nid af o Ddyffryn Dyfi o wirfodd,
  Mae tyrfa'r beddfeini
 Yn dal i fy nghadw i
 Yn dynn yn ei chadwyni.

Gwilym Fychan (Bro Ddyfi)

Tu mewn i ffermdy Tŷ Mawr ar y bwrdd
    Y mae llyfr bach enfawr
  A golud ei air drudfawr
  Ar glo heb agor ei glawr.

Alan Wyn Roberts (Bro Alaw)

Wedi bod yn Cambodia mi es i
    Am swae i Sri Lanka,
  Draw i'r Aifft a Gwlad yr Iâ –
  Anamal ydw i yma!

Llion Derbyshire (Criw'r Ship)

Bu sôn fod y BBC yn 'morol
    Gwneud Meuryn o Jonsi
  Am mai ffârs rhoi mwy o ffi
  Na'i werth i'r boi sydd wrthi.

Lynn Davies (Penrhosgarnedd)

Ar gais un fe wisgais i adduned
    Newydd, wen eleni
  Ond hawsed oedd bawdfedi
  Sidan hon a'i staenio hi.

Eirwyn Williams (Llanbed)

Yr wyf fi yn siŵr o fod yn well bardd
    Na llu beirdd y Steddfod;
  Mae myrdd yn credu fy mod,
  Ar wahân i'r meurynod.

Gwilym Fychan (Bro Ddyfi)

Yn Seilo nid oes ar Suliau na chân
    Na chwrdd, ond drwy'n gwydrau
  Yn y Cŵps ar amser cau
  Y mae ynom emynau.

Iwan Bryn James (Y Cŵps)

Y mae'n waith, ond y mae nôl y cewyll,
    Eu cywain a'u didol,
  Tynnu 'Barti Ddu' o'r ddôl
  Yn wanwyn, cyn daw gwennol.

Huw Erith (Y Tir Mawr)

Y mae o hyd amheuaeth ynof fi
    Na fydd fy modolaeth
  Yn ddim ond tonfedd a aeth
  O olwg sgrin dynoliaeth.

Nia Powell (Y Manion o'r Mynydd)

O Draeth Coch i'r Tai Cochion, o Lynfaes
    I Lanfair a Phenmon,
  Y mae rhywrai mor wirion
  Â mynd yn Gynghorwyr Môn.

Dafydd Williams (Glannau Llyfni)

Yn Angladd fy Nhad-cu

Un Dac-cu, un diacon, un sanctaidd
    A gwylaidd o galon,
  Un a adfywiai oedfaon
  Yn ei fedd yr oedfa hon.

Tudur Hallam (Pantycelyn)

Gwynfor

Mi wn beth yw amynedd, mi wn i
    Am hin oer atgasedd,
  Ond ym Mai ces yfed medd
  Gwawr felys ein gorfoledd.

Iwan Bryn James (Y Cŵps)

Yr Ewro

Darn arian i'n cyfannu ni ydyw,
    Darn o waed er hynny,
  Darn o'r lladdfa fwya' fu,
  Hen fethiant wedi'i fathu.

Idris Reynolds (Crannog)

Ymson Gwraig

Nid ar fis mêl gwawr-felen y gwelais
    heibio i'r galon lawen;
  na, ni welais mewn heulwen
  y dyrnau dur yn dy wên.

Ceri Wyn Jones (Y Taeogion)

Hipi Dyffryn Tipi
(Parodi)

O'i gwm heb neb i'w gymell, yn ei dro
    Aiff ar drip anghysbell;
  Y pabi'n fwg mewn pibell
  Yw cwymp hwn yn y camp pell.

Dafydd Williams (Y Sgwad)

Mam yn gweld rhyddhau llofrudd ei mab

Yr haul a wenai'n greulon, dweud ei ddweud
    Ydoedd un, heb gyffion,
  Ond oes o ddedfryd i hon
  Ydyw clywed y cloeon.

Dylan Jones (Y Taeogion)

Gwisg

Un nos, waeth sut y gwniasom ein harfwisg,
    Pan ddaw'r oerfel drosom
  A fferru'r nodwydd, gwyddom
  Nad yw'r wisg ond amdo drom.

Huw Edwards (Pantycelyn)

Dibyniaeth

I hunlle'r gannwyll wanllyd rwy'n gwibio;
    Er yn gwybod hefyd
  Mai hi all ysu 'mywyd,
  Yn fy ôl yr af o hyd.

Emyr Davies (Y Taeogion)

Hiraeth

Yng ngaeafau'r anghofio af i ardd
    'rhen furddun a heibio
  i'r wal sy'n cynnal y co' –
  o, na bawn yn byw yno.

Tudor Davies (Y Sgwad)

Plentyn o ffoadur

Yn ei fraw, yn ei friwiau mae heb fam,
Heb faeth, heb bapurau;
Nid yw'n neb, ond yn ei wae
Mae hwn yn fab i minnau.

Iwan Bryn Williams (Penllyn)

R. Williams Parry

Gwelodd fel unigolyn un ennyd
yn ennyd ddiderfyn
a redodd drwy y rhedyn
fel cadno gan dwyllo dyn.

Idris Reynolds (Crannog)

Y Talwrn

Beirdd cocos yn braidd gosi yr awen
Mewn reiat o ddwli,
Rhai symol yn cyboli
Â rhyw het o reffarî.

Dafydd Iwan (Waunfawr)

'Bloody Sunday' 1972

Gwn, mi wn fod rhai'n mynnu na fu'r waedd
Lofruddiog yn Derry,
Ond mae staen hyd y maes du,
Ôl gwaed ar Sul y gwadu.

Emyr Davies (Y Taeogion)

Elfed Lewis

Yr oeddwn wrth dy roddi yn y bedd,
Elfed Bach, yn sylwi
Bod alaeth ein hiraeth ni
Yn niwlen dros Breseli.

Gwilym Fychan (Bro Ddyfi)

Ar Gerdyn Nadolig

Er mwyfwy o arlwyon, er yr hwyl,
Er yr holl bartïon,
Er rhagor o anrhegion,
Ei roi hael Ef yw'r ŵyl hon.

Huw Dylan (Ysgol y Berwyn)

Y rhai a oroesodd ddaeargryn Twrci

Ar ôl, heb gwmnïaeth ond brain, ar ôl
A'r rhelyw dan liain,
Rhwng y rwbel a'r celain
Bod ar ôl yw byd y rhain.

Nia Powell (Y Manion o'r Mynydd)

Hen Lun

Rwy'n nabod yr wynebau yn y llun
Er bod llwch degawdau
Yn cuddio heno enwau
Wyddwn i pan oeddwn iau.

Gwilym Morris (Llanefydd)

Glanhad

Dôi'r tonnau'n lleng, fel engyl llawenydd
a'r llanw'n efengyl
i olchi'r traethau eilchwyl
un hwyr o haf yn Y Rhyl.

Aled Rhys Wiliam (Tegeingl)

Englyn Santes Dwynwen

Mae o hyd, yn nod i mi, gael dy weld,
gweld y wên yn gwmni,
ond tybed a ddywedi
mai'r un nod yw d'eiddo di?

Dylan Jones (Y Taeogion)

Cywyddau

'Gan fy nhad fe glywais chwedel...'

Pan oedd co'n ein huno ni,
Yn anwylo corneli,
Roedd lampau oel y coelion
Yn rhannu'n swil rhyw hen sôn
Drwy y mwg, drwy oriau mân
Direidi oes ddidrydan.

Yn swynion hon es yn ôl
I gywydda'n y gwaddol;
Fesul chwedel dychwelais
Hyd y lle nes clywed llais
Ŵyr bychan yn diflannu
'It's boring, I'm going 'gu.'

Idris Reynolds (Crannog)

'Gan fy nhad fe glywais chwedel...'
Mae hil yn traethu'n fy myw;
Chwedel fy llinach ydyw;
Yr wy'n ddarn o'r hyn a ddwed,
A'i chael hi nid ei chlywed
A wnes; hon a'i negesau
Yw 'ngwedd, yw'r anian ynghau
Yn y mêr, yw'r cymeriad
Gennyf yn awr gan fy nhad.
Ac o reidrwydd, trosglwyddaf
Hon i gôl y plant a gaf,
Treftadaeth ffraeth i'w pharhau'n
Gynhenid drwy'u genynnau.

Rhys Dafis (Aberhafren)

Plant

(I'r rhai a enir ddechrau Ionawr 2000)

Dyw 'nhudalen i heno
ond penodau'n cau'n y co'.
Marw wna'n hiaith ar femrwn hen,
arafed yw fy 'sgrifen;
megis crair pob gair, a'i gwedd
yn llawn o eiriau llynedd.

Mae 'na ddalen eleni
na fynn weld fy 'sgrifen i,
a dewch, ieuenctid y dydd,
i grynhoi'ch geiriau newydd.
Dros dawelwch bloeddiwch, blant,
dudalennau'r dilyniant.

Dylan Jones (Y Taeogion)

Golygfa

O'r wawr lwyd i'r môr o liw,
Breuddwyd yw Aber heddiw.
Wrth i'r cefnfor greithio'r gro
Dan siffrwd y nos effro,
Fe erys pawb ei gusan
Neu ei reg, cyn chwarae'i ran.

A hyd y dre, fesul stryd,
O un i un, bob munud,
Mae'r wynebau'n dechrau dod,
Yn ddyfal, fel hen ddefod,
A'r awel yn dwyn rhywun
Efo'r lli – myfi fy hun.

Huw Edwards (Pantycelyn)

Gofal

Yn nhir y golau oren
Nid y nos sy'n duo nen
Ond yr haid ar gornel stryd
Sy'n byw ar friwsion bywyd.
Cywion tai'r helbulon ŷnt,
Adar heb nythod ydynt
Yn un criw, lle mae briwiau
Yn y gwaed yn gylch heb gau.
Yn amddifad o adain
Byw i drais yw bwyd y rhain,
Ond mae perthyn derfyn dydd
O wylio dros ei gilydd.

Nia Powell (Y Manion o'r Mynydd)

Y Tîm

Mae'r tri am ffermio'r tir hwn,
y mawndir llwm ei wndwn;
yr un yw'r gân bob gwanwyn,
'Dadi, gawn ni gae i'n hŵyn?'
Yn dri cytûn cynlluniant
eu caeau ir, cadw cant
o wartheg, trefnu gwerthu'r
hyrddod oll, a chael hwrdd du;
er dweud 'Wei!' rwy'n colli'r dydd
a nhw'n hau cynllun newydd.
Y tri llanc fe ânt â'r lle –
dyna fy mreuddwyd inne.

Tegwyn Jones (Bro Ddyfi)

Penderfyniad

(Penderfyniad y Llywodraeth unwaith eto i wrthod Pardwn i'r milwyr a ddienyddiwyd am lwfrdra yn ystod y Rhyfel Mawr)

A'r mwg sigâr yn aros,
dwrn oer sy'n dal brandi'r nos,
a chau ei lygaid drachefn
ar ddihidrwydd ei ddodrefn,
yn wleidydd na wêl wedyn
ôl gwaed ar ei ddwylo gwyn.

Yn inc ei lofnod ni wêl
weiren bigog drwy'n bogel,
na bidog, na throed bwdwr,
na'r nwy dall dros grawn y dŵr.

Mewn inc, ail-greu'r Somme a wnaeth;
dienyddio dyneiddiaeth.

Ceri Wyn Jones (Y Taeogion)

Ffyddlondeb

Seddau gwag, un swyddog oer.
Ni all agwedd mor llugoer
Fyth gynnal, fel ers talwm,
Hwyl y lle ar elw llwm.
Mor oriog yw'r cefnogwyr –
Byw o hyd i'r tymor byr.
Ond i un enaid yno
Rhwystr yw hyn a fydd dros dro.
Daw yn driw yn ei liwiau –
Yn y co' mae cyffro'r cae –
Wafo'r sgarff, waeth beth fo'r sgôr,
A'r tîm heb bwynt drwy'r tymor.

Eleri Davies (Merched y Wawr Dyfed)

Eiddo

(Er cof am Siôn Pyrs)

Yr oedd ar hanner brawddeg,
Roedd hadau'r geiriau'n ei geg
Yn alwad i'r rhew gilio,
I'r ffynnon gracio'n y gro.

Gobeithion cyn ffurfio'n ffaith
A drywanwyd ar unwaith.
Y lleuadau coll ydynt,
Hafau bach gwacach na'r gwynt.

Yn nhreigliad y cread crwn
Heddiw yw'r oll a feddwn.
Rhyw eira pell ar y paith,
O fewn dim i fynd ymaith.

Gwynfor ab Ifor (Tre-garth)

Eiddo

Ar ben ein rhestr roedd llestri
neis, ond mae'n hanrhegion ni
mewn sach, geriach i'w gwared,
creiriau ŷnt o golli cred.
Ai hyn yw ein gwahanu?
Rhyw focs o wydrau a fu
unwaith yn ein cyfuno?
Nadu clwyf wrth newid clo
ein cyd-fyw; codi dau fys
i'r allor. Mae'r ewyllys
rhannu ar chwâl; anialwch
yw'r gegin, a'r llestri'n llwch.

Nici Beech (Criw'r Ship)

Eiddo

('Mae'r wlad hon yn eiddo i ti a mi ...')

Ym mar hwyr y Gymru iau
a dewr, ar ben cadeiriau,
a genod del yn gweini
mae hon yn eiddo i mi.

Yng nghaffi bach yr 'achos'
yn feirdd clyd wrth fyrddau clòs,
yn trafod ei phentrefi
mae hon yn gyflog i mi.

O gylch byrddau'r siwtiau swêd,
a'm hacen yn fy mhoced,
ac estron i'w bodloni
mae hi'n faen melin i mi.

Meirion MacIntyre Huws (Waunfawr)

Llythyr

Yng nghornel drôr y sborion
Mor gymen yw'r amlen hon;
Agor haf mae'r ysgrifen,
Drwy iaith wyw daw rhith o wên,
Ac eilwaith gyda'i gilydd
Rhodia dau yn hwyr y dydd.
Ein parhad yw'r papur hwn,
A hen haf nas anghofiwn;
Er ar wahân, yma'n un
Yn oedi, cyn rhoi wedyn
Hen oriau ein tynerwch
A lliwiau haf nôl i'r llwch.

Robat Powell (Cwm Tawe)

Etifedd

Agos yw glas dy lygaid
a dy wên i wên dy daid
medden nhw, ac mi ddaw nain
am hwyl i'th dymer milain;
osgo'r hen go'n cadw gŵyl,
a thrwyn dy ewythr annwyl
a wêl doethion dy deulu,
a dy wallt fel gwallt mam-gu
yn gyrliog; yn dy garlam
y mae holl brysurdeb mam,
a gŵyr d'ach bod geiriau dad
yn lol siriol dy siarad:
ond er her y trymder hwn,
er yr hanes a rannwn,
nid yw gwanwyn dy wyneb
na'i wên yn berchen i neb;
ti bia'r gaea' i gyd
a hafau 'fory hefyd.

Iwan Llwyd (Penrhosgarnedd)

Etifedd

Rwy'n d'ofni di er nad wyt
yn bod. Ie, fy mab ydwyt.

Fel seler ddofn, rwy'n ofni
y mab gwahanol i mi:
un yw hwn nad yw'n mwynhau
yr astudio na'r stydiau;
rhigymau'r ochr-gamu,
clec yr iaith na'r taclo cry';
na rhoi'i hun i werthoedd brau

tir gwledig y treigladau.
Ond mae hyd byth, drwy'i wythi,
un ofn yn fwy ynof i.
Fan hyn, ofnaf anhunedd
y dyn hyll o dan ei wedd:
dyn ystyfnig y dig dall
a'i boer nas gwêl neb arall.
Fel Teifi ddofn, rwy'n ofni
y mab sy'n debyg i mi.

Ceri Wyn Jones (Y Taeogion)

Marchnad

I'w gwerthu aeth ein gwartheg
A da stôr ein tymor teg.

I'r hewl aeth y lori olaf,
Ac arni hi ugain haf
Ein doe cyn ein heddiw du,
Heb adael wrth y beudy
Un dim o werth ond ei mwg
Olew, cyn troi o'r golwg.

A gwelem, trwy y ddwyawr,
Trwy'r loes ym mhob taro i lawr,
Mai'n gwên, a'n heulwen, a'n hwyl
A werthent dan y morthwyl.

John Gwilym Jones (Penrhosgarnedd)

Newid

Ar dudalen eleni
Cofnodwyd ein haelwyd ni
Yn ei thrywydd a'i throeon,
Ei horiau lleddf a'r rhai llon,
Ein mynd a dod yma'n dau,
Hyn o fyd a'i ddefodau,
Hefo'i horiau cyfarwydd
Yn rhan o flas yr hen flwydd.

Ond i ni rhoed byd newydd,
A swm ei ryfeddod sydd
Yn y wyrth eiddilaf un,
Yn anterth geni plentyn.
Yr un fach bellach yw'n byd,
Ein hafiaith a'n hofn hefyd;
Hi yw'r heulwen eleni
A'r gwres yn ein hanwes ni;
Breuddwyd a anwyd yw hon,
Angyles yn fy nghalon.

Emyr Roberts (Waunfawr)

Darlun

(Sgan neu belydr-X ar ysgyfaint)

Roedd oriel oer ddieiriau'n
Fraw i hon a'i hanadl frau,
Na allai weld er syllu
Un dim yn y gwyn a du,
Na allai weld yn y llun
Un ystyr dan ei destun.
Yn ei wythi haniaethol,
Yn ei lwyd, ni welai ôl

Y gwaed gwenwynig ei wedd
A ddaliwyd gan y ddelwedd.
Ond gwyddai, fe wyddai fod
Gwe o esgyrn dan gysgod
A'i fod uwchben yn nodi
Geiriau gwelw'i henw hi.
Aeth ynghyd â'r ddedfryd ddu
Heibio i iet yr ysbyty
A chynnau, cyn dweud 'chwaneg,
Sigarét i losgi'i rheg.

Emyr Davies (Y Taeogion)

Cywydd yn ymateb i eitem o newyddion
(Pryder yr Ysgrifennydd Gwladol yn 1969)

Annwyl Harold,
Gwêl eiriau
Yma'n deg rhyngom ein dau.
Mynnaf roi f'ofn mewn cofnod:
Mae Carlo'n bihafio'n od.
Hyd y wlad fe sieryd lol,
Aeth hefyd yn eithafol.
O dywed air, gair i gall
Yn ddioed i'w fam ddeall
Ei fod fel 'r asynnod sydd
Yn boen i'w choron beunydd.
Rhag anghytgord, rho ordors
I gau'r safn.
Yn gywir,
Siors.

Richard Parry Jones (Bro Alaw)

Darlun

Mae hi'n law, tithau'n dawel,
Yn ddiarwybod o ddel
Wrth orielu'r papurach
Hyd y bwrdd yn dy fyd bach,
A phefria dy lygadau'r
Fflach o wyrdd dan dy ffluwch aur.

Minnau'n tewi am unwaith –
A'th fyd crwn tu hwnt i iaith –
Yn bachu rhyw gip bychan
Bob hyn a hyn, ar wahân,
Wrth i'r amser ddiferu
Yn wêr tawdd rhwng waliau'r tŷ.

A dyma ti'n troi ataf
Nawr, a haul o wên fawr braf
Ar dy wyneb bach chweblwydd,
A dal yn rhodd dy lun rhwydd
Yn dalog, dal dy deulu'n
Dy rodd symlaf, harddaf un.

Huw Edwards (Pantycelyn)

Atgof

O dan hud ddau Fedi'n ôl
A'r angau mor gyfryngol,
A oedd un na ddeianwyd,
Na faglodd, rywfodd, i'r rhwyd,
Na thosturiodd wrth stori
Un mor rhad ei marw hi?

Ond ar ei hôl, nid yr un,
O raid, yw'r galar wedyn.
Am mai rhith y camerâu
Fu'n meddalu'n meddyliau,
Dim ond atgof atgof fydd
Hen drueni hon drennydd.

Tudur Hallam (Pantycelyn)

Taith

(Ymfudo o Dy'n y Maes)

Daethom ar daith, a thaith hir,
mellten o hanner milltir;
wedi rhedeg drwy'r adwy,
Ty'n y Maes, wyt enw mwy.

Enw geni fy Nia,
a Rhys fel iâr fach yr ha';
enw gwaeledd a galar –
enw gwefr cyfeillion gwâr.

Er ymadael, er mudo,
mae'n braf, yng nghwlwm ein bro,
troi i'r lle ym mhentre'r Llan
a dôr fydd eto'n darian.

John Hywyn (Glannau Llyfni)

Cymdeithas

(Cymdeithas Gymreig Toronto, ac ymweliad Côr Cwm-ann a Chôr Brethyn Cartre â hi)

Roedd Iwerydd o aros
Yn wyn gan ewyn y nos,
A chytgan hyd y glannau'n
Adfer balchder am fod bae
Mor Gymreig yma ym mro
Y Tŵr a Llyn Ontario.

Ond eto'n eigion y nos
Awyren oedd yn aros.
Pan ddaeth diwrnod i godi,
A dwyn ein hiaith gyda ni,
Ar forlan y gytgan gaeth
Roedd Iwerydd o hiraeth.

Idris Reynolds (Crannog)

Cymwynas

Yn llonydd, poen sy'n llenwi'r
Gwythiennau drwy'r oriau hir;
A throsof yn ddiofyn
Daw ton o gysgodion gwyn
I gawell o bibellau,
I gell o obeithion gau.
Yn nwndwr fy mudandod
Nid byw yw hyn, dim ond bod;
Pob curiad, pob eiliad bach
I mi sy'n ormod mwyach;
Yn y marw hwn, O am ras,
Am un i wneud cymwynas...

Marc Lloyd Jones (Yr Awyr Iach)

Stryd

(Lôn Gàs, y tu allan i glwb nos y Paradox, Caernarfon)

Mae'n Un ers deugain munud
a Lôn Gàs sy'n gluniau i gyd,
yn sigaréts, geiriau rhad,
yn gweir, yn sawl ysgariad,
yn rhai gyda'u traed yn rhydd
a'u colur yn dweud celwydd.
Mae'n dre' hyll, mae 'na drallod
yn bla 'mysg ei phobol od,
ac fesul Sul rwy'n sylwi,
yn llesg, rhwng drewdod y lli
a rhegfeydd criw go feddw,
'mod i'n un ohonyn nhw.

Meirion MacIntyre Huws (Waunfawr)

Amaethwr

Gŵr yw heb geiniog ar ôl
A'i 'greisus' yn gri oesol.
Dyn na bu blwyddyn o'i blaid
Na blwyddyn heb ei bleiddiaid.
A'i ŵyn bach, y dela'n bod,
Yn felys gan fwystfilod.

Edrydd am aeaf didranc
A'r sgubor yn bwydo'r banc.
Mae'r ddau Frontera'n hanes,
Y Subaru'n piso'i bres,
Yr ieir yn mynnu'i bluo
A'r fuwch yn ei odro fo.

Gwynfor ab Ifor (Tre-garth)

Ar Werth

(Capel Salem, Llanfwrog
lle codwyd y diweddar Barchedig John Roberts)

Rhyw fin hwyr yn nherfyn haf
Wele'r cymundeb olaf
Yn Salem, yna'r emyn
A'r hen ias o'r 'Tri yn Un';
Aeth oes i awr o groeso
Yna'r cur yn gwanu'r co':
Dwyn i gof gadwynau gynt,
Hen ddyddiau dedwydd oeddynt,
A rhaglen ein rhieni
Yno'un â'n rhaglen ni.
A'r mab ro'dd fri'i 'Fro Aber'
Hawliai'n byd am funud fer,
Y JR ddigymar ddawn
Hidlai â'i ddull cariadlawn.
Rhyfedd gweld diwedd y daith
Yn y man bu grym unwaith,
A Salem 'rôl noswylio
Yn y glyn a'i ddrws dan glo.
Wylaf o weld sawl hoelen
A'i bris ar ryw ddarn o bren.

Machraeth (Broydd Hud)

Ar Werth
(Yr Wyddfa)

'Ar werth mae lot anferthol,
Un nad â i boced ôl,
Yn ddarn o fynydd go dda
A luniwyd ers milenia
O rug hardd a charreg hen,
Argol, mae'n glamp o fargen!'

Pryn hon a chei di'm llonydd
Yn y byd; ar hyd-ddi bydd
Rhyw ffŵl ar bob llwybr a pherth,
Ryffians yn peri trafferth;
Chei di'm caban heb 'blanning'
Na tho ar y blydi thing!

A rhesymeg fy neges
Eglur, praff i'r casglwyr pres
Sy' ar dân drwy'r nos a'r dydd
I lunio un miliwnydd?

'Run geiniog dros fy nghrogi
Iddo a'i fanc ni roddaf fi:
Perthyn hi'r Eryri hon
I fyd, nid i ynfydion!

Hilma Lloyd Edwards (Llanrug)

Dylanwad
(Mae teulu fy nhad yn hanu o Flaenau Ffestiniog)

Os ofnaf na fedraf i
hel achau yn ei lechi
dienaid, na gweld yno'r
acenion cŷn ers cyn co',
na rhoi'n awr enw na hynt,
na bedd, na wyneb iddynt;
o hyd, y mae'r cyndadau
ym mêr fy mêr, ac y mae
rheg a chwys eu creigiau chwâl
yn finiog ar fy ana'l,
a chywyddau'r llechweddi
yn faen ar faen ynof i.

Ceri Wyn Jones (Y Taeogion)

1999

Byd o bryder, byd Herod,
Byd o ddig oedd byd Ei ddod,
A goleuni'i eni Ef
A ddyddiodd trwy ddioddef.
Ond deil rhyw gysgod helaeth
Eto dros Gosovo gaeth.
Gyda'r gwan yn gelanedd,
Byw o hyd yw agor bedd,
Byw yw wylo bob eiliad,
Byw yw'r wawr sy'n ddim ond brad,
A Herod, mor ddiwyro,
Saif o hyd yng Nghosovo.

Nia Powell (Y Manion o'r Mynydd)

Cegin

(Dathliadau'r mileniwm ym mhentrefi'r Lan Orllewinol)

Neithiwr, a holl obeithion
y wlad yn goleuo'r lôn,
yr oedd rheg lond dwy gegin
a chasáu uwch gwydrau gwin.
Nid oedd bwrdd nad oedd heb un
sedd wag lle suddai hogyn
deunaw am brydau unwaith.
Roedd dwy gred, ac roedd dwy graith.
Roedd hen frwydrau lond dau dŷ,
dialedd lond dau deulu.
Ond i'r stryd o hedd dros dro
am eiliad, dim mwy, i wylio
un wawr fawr daethant yn fud
i rannu gwefr yr ennyd,
rhannu un wawr o'u heinioes,
un gri, a chario'r un Groes,
yna'n ôl i'r gegin aeth
mileniwm o elyniaeth.

Meirion MacIntyre Huws (Waunfawr)

Cydymdeimlad

Un pnawn du, tra bo tŷ'r Tad
Yn deml o gydymdeimlad,
Ar lan y bedd mae gweddw
Yn oer gan eu galar nhw,
Hen frain yn crawcian am frawd.
Hwn yw diwedd ei deuawd
Hi ag ef, diwedd y gân
Ufudd – mae'n claddu'r cyfan.
Claddu'r braw, claddu'r briwiau
A brad ei deyrngarwch brau,
Y celwydd a'r c'wilydd cas
A brwydr o briodas.

Un pnawn llwm yn drwm gan drais,
Artaith yw'r cysur cwrtais.
Nid wrth y bedd, nid heddi'
Oedd awr ei diodde' hi.
Mae'n rhy hwyr, ac ni ŵyr neb
Yr anaf dan yr wyneb.

Mererid Hopwood (Y Sgwad)

Paradocs

Fwyned oedd Mehefin dau
A gwir anwiredd geiriau.
Yr haul ar flodau gaeaf,
Y rhew yn rhosod yr haf;
Draen y fron dan hydre'n frith
A'r gwanwyn yng nghae'r gwenith.

Un gân wyf, cainc unig nawr,
Llwyn hen ym mherllan Ionawr.
Rhithio cerdd â ffrwyth y co'
Yw'r cyfan; blasu'r cofio,
A chariadus chwerw ydyw;
Afal sur mor felys yw.

Eirwyn Williams (Llanbed)

Kosovo

Sut meiddiaf drwy'r gyflafan
Wario'i gwaed ar liwio'r gân,
Gwario'i hofn ar frawddeg rad
I ddelweddu hil-laddiad?
Llonyddwyd pob llenyddiaeth
Yn y gad, a minnau'n gaeth
I'r gwir a roddir, yn rhwym
O'i weld drwy ddagrau eildwym.
Wrth i gŵn Annwn gronni
Hyd y fan, beth ddwedaf fi
A'n Duw gwâr, mewn byd o'i go',
Yn ddiwedws-ddihidio?

Emyr Davies (Y Taeogion)

Baner

(Wrth ailaddurno eu hystafell gyffredin paentiodd y Chweched Dosbarth faner y Ddraig Goch ar un o'r muriau)

Draig cool â hyder calon
yn ei hana'l yw'r wal hon,
a Glyndŵr drwy'r oglau'n dod
yn do ifanc, yn dafod,
a chystrawen dadeni
yn ei chnawd a'i gwreichion hi.

Nid cell yw'ch stafell, ond stŵr
a hwyl a gwichian rholiwr;
rholiwr hawdd ar wal rhyddid
yn chwifio'i ddwylo'n ddi-hid.
Ar gynfas bras mae sbri iau
brwsys yn sgubo'r oesau.

Dan baent coch, gorchuddioch chwi
ei phytiau o graffiti:
dyddiadau; enwau; hanes;
y 'Rown-ni-yma' mewn rhes.
Stafell criw heddiw yw hi,
a'i muriau'n ddigilmeri.

Mae hyder didryweryn
ynoch yn goch, gwyrdd, a gwyn,
a draw i'r iard af am dro
yn wên,
              cyn clywed yno:

'But after Ffis., what is it?'
'Hanes and Tech., isn't it?'

Ceri Wyn Jones (Y Taeogion)

Angen

Ar gornel stryd fe hudaf
hwn a hwn ar bnawn o haf;
punt wrth bunt yw'r crafu byw;
anwadal fel 'rhain ydyw.
Llond haf o gyfalafiaeth!
ond dwi yma'r gaea'n gaeth,
'mond y fi a 'nghi'n fy nghôl,
fi, unig, penderfynol.
Cydymdeimlad? Na, cadwch
hwnnw. Ar fy llw mae llwch
y stryd fel hen ystrydeb
yn cogio'r gwir yn nhir neb.

Dafydd John Pritchard (Y Cŵps)

Angen

Oes y gwarth ar lwyfan sgwâr
A welwn yn ei galar,
Fel broc môr, didrysor draeth
Annhegwch ein Cristnogaeth,
Yn agored i gerrynt
A dŵr gwyllt y pedwar gwynt.
Ninnau'n drist arhoswn draw
Yn dal i olchi'n dwylaw.

At nerthol rwyf dynolryw
Yn awr dewch, holl forwyr Duw,
Ar y cyd i lywio'r cwch
Yn ôl i ddiogelwch.

Emyr Jones (Tan-y-groes)

Cymydog

(Ieuan Gelli, un sy'n dal i ffermio dros y ffin i'r fferm lle magwyd fy mam. Beillen yw'r nant fach sy'n dynodi'r ffin)

I gael hyd i'r llecyn glas,
Y man lle ceir cymwynas,
Af o raid am henfro'r ach
A'r llain fu'n rhan o'r llinach,
A gwelaf drwy y golud
Uwch y Banc ryw feinach byd:

Y lôn gart rhwng dau gartre',
Y ddôl ei hun yn ddau le,
A phen hewl eu ffiniau hwy
Yn wledig anweladwy,
Y Beillen mor hen â'r haf,
A'r co'n iau na'r cynhaeaf.

Ond er mor bell yw'r Gelli
Yn ein hoes ddigonol ni,
Er cilio o'r amser gerwin,
Mae yno, yn ffermio ffin
Hynaf oll hen ffordd o fyw;
O hyd, cymydog ydyw.

Idris Reynolds (Crannog)

Cymydog

Dyn o bell nad yw yn bod
i ni, ond drwy'r twrneiod.
Syr yw, ond nis gwelais 'rioed
yn agos i Gwm Dugoed.
Difwrlwm yw fy nghwm i –
y pîn yw fy nghwmpeini.

Gwˆr busnes difusnesa;
onid yw'n gymydog da?
Nid oes 'run dafedyn du
yn niwsans, yn tresbasu;
mae pob giât ar ei chatiau
yn gaeth, a phob bwlch ar gau.

Er iddo blannu'r gwreiddiau'n
ddwfn, hawdd ganddo eu rhyddhau;
be' ŵyr hwn am fylchu bro?
am larwydd yn malurio
Cwm Dugoed? Ein cymdogaeth
a'n hwyl fesul coeden aeth.

Tegwyn Jones (Bro Ddyfi)

Fy Mro

(Gweld Bangor o Fiwmares)

Mae mynydd, ac mae Menai'n
hwyr o haf, a'r dydd ar drai.
Coed y Garth sy'n codi gwên
a'u lliwiau'n febyd llawen,
a gwylanod yn glanio
ar Borth Penrhyn ers cyn co'.

Ni wela i 'run graith las
na'r staen sy'n croesi dinas
yn bla'r archfarchnadoedd blêr,
na'r baw sydd ar ei bier;
ni wela i chwaith ôl y chwyn
un diwedydd... ond wedyn

mae mynydd, ac mae Menai'n
hwyr o haf, a'r dydd ar drai.
Tra bo dydd, tra bod y dŵr,
bydd llawenydd yn llanw'r
môr gerllaw Bangor, a bydd
Menai wrth droed y mynydd.

Dylan Jones (Y Taeogion)

Dathlu

Gwenwch, mae'n Ŵyl y Geni!
Y Nöel! Pam ddylwn i
Yn fy maich, heb fy mychan?
Wyneb mab sydd ym mhob man
Hyd y cof, a'i lygaid cau
Yn angel llawn o angau.

Ar negesau cardiau'r co'
Gwên y goeden sy'n gwawdio;
Llon ei golau, llawn galar,
Llawn asbri, llawn colli câr.
Rho brawf – dwed, geriwb ei brig,
Nad elor yw'r Nadolig.

Nia Evans (Aberhafren)

Tâl
(Hysbyseb byddin Kosovo)

Ni chei weld y byd, na chwaith
anwesu ambell noswaith
o fwynhad. Ni chei fan hyn
ond her a byd dihiryn:
byddin yw hon heb eiddo
a phawb sydd ynddi ar ffo.

Dyw'n addo dim, daw'n ddi-dâl,
heb fodur a heb fedal;
cyfle'n unig yw'r cyflog –
rho i'r wlad d'einioes ar log,
ei rhoi'n falch i'r tir yn faeth
â bedd yn gydnabyddiaeth.

Tudur Hallam (Pantycelyn)

Gorwel

Mae rhai eisiau mur o hyd,
Mur na all neb ymyrryd
Â'i feini: yr hen fynydd
Mawr llwm dros y cwm bach cudd.
Pwy na wêl ei siâp y nos,
Y mur sy'n dweud am aros?

Ac mae rhai am Gymru rydd,
A gwlad 'run fath â gwledydd
Eraill, heb ofn ymyrryd,
Lle mae cwm, a bwrlwm byd;
Mae rhai am i'r Cymry hel
Eu geiriau dros y gorwel…

Mae lôn o hyd o 'mlaen i,
A'r niwl yn ei chorneli,
Sy'n arwain dros hen orwel
Y mawn tua'r llaeth a'r mêl.
Ond dyna weld, yn y nos,
Y mur sy'n dweud am aros.

Twm Morys (Y Cŵps)

Cydymdeimlad

Ar lan ei fedd mewn gweddi,
fel ei fam fe wylaf fi
am fod iddi yma fedd
nad yw'n arwyddo diwedd –
dim ond oes yn damnio Duw.
Dyma'i byd. Ei mab ydyw:

ei hunig fab, ei baban,
ei nawr o hyd ar wahân,
ei chariad wrth gydchwarae,
ei chyn-ffrind, ei chŵyn, ei ffrae,
ei duw a diben ei dydd,
ei bywyd heb ei awydd,
ei phob moment, ei phlentyn
a'i gwadd i'w hangladd ei hun –
yma, dan ganu emyn
a glaw oer, ei Siôn y Glyn.

Ni all un ond estyn llaw,
neu ystum, neu wên ddistaw.

Tudur Hallam (Pantycelyn)

Diolch

(Wythnos Cymorth Cristnogol, a newyn mawr yn Ethiopia lle daeth llwyth coll Israel i'r golwg)

Gweld y boen, a ni'n groeniach,
A'n hysgwyd am funud fach –
  Y gwan yn lloffa'n y llwch
  Yn hualau'u hanialwch;
  Ymryson am friwsionyn
  A bwyell haint ym mhob llun.
Yna ffown i noddfa'n ffydd
'O Dad yn deulu dedwydd.'

  Ar gyrch dros dir y gwarchae
  Drwy y gwyll daw adar gwae
  I'r gad, i'w trugarog waith;
  Hau i hil fanna eilwaith,
  Hau'n rhad a'r cloff yn rhedeg
  Â'u bryd ar y byrnau breg –
  O'u hirloes profi'r arlwy
  Nes llamu, moliannu mwy;
A'n hychydig annigon
Yn rhan o wyrth fodern Iôn.

Iwan Bryn Williams (Penllyn)

Traddodiad

Hen afon dan ddail ifanc
a'i llif yng ngolygon llanc
a ddaeth fel y daeth ei dad
a'i wialen yn alwad
i gymryd pwyll a thwyllo'r
eog rhydd o byllau'r gro:

a daw'r eog i'r Ogwen
a dŵr y byd ar ei ben,
troi adref trwy'r rhaeadrau
a dŵr ddoe'n dod i'w ryddhau;
yn dychwelyd i chwilio
am raean ei anian o:

brathiad pluen, a'r enwair
eto'n gwyro, ar y gair
dyma'r gwrthryfel arian
yn llamu a gwlychu glan;
hen, hen rym yn torri'n rhydd,
hen wae yn llanw newydd.

Iwan Llwyd (Penrhosgarnedd)

Golau Seren

(Dywedir bod yr hyn a welwn heno o'r seren nesaf atom wedi digwydd pan oedd Abram ar y ddaear. Yr ydym yn dal i weld sêra beidiodd â bod filiynau o oesau'n ôl)

Rywle, cyn geni'r heulwen,
Rywbryd fe ddaeth byd i ben
Yn un ffagal wrth chwalu
I'r gofod diddarfod du,
A mynd heb fod dim o'i ôl
Ond rhyw donnau trydanol
Yn gof am y cwbl i gyd,
Enfys lle bu cyfanfyd.
Ond o weled ei olau
Hen fyd gaiff ei adfywhau
Eilwaith – byd heb fodoli;
Gweld yn ôl yw'n gweled ni.

Nia Powell (Y Manion o'r Mynydd)

Geiriadur

Wyf fethiant o gyfieithydd;
Mewn un gair mae haenen gudd
Dan sillaf na fedraf fi
Na rheswm fyth mo'i throsi.
Mewn geiriadur rwy'n turio,
Ond er gwaetha' geirfa'i go'
Ni ŵyr ach 'run geiryn brau
A'i daid o gynodiadau.
Lle oer yw'r aralleiriad
Yn y drych o wydr rhad
Ond er hyn, o raid yr af
I'r geiriadur, a gwridaf.

Emyr Davies (Y Taeogion)

Bae

(Ar ôl gweld carnedd o gerrig ger Dinas Dinlle lle cafwyd cyrff dau bysgotwr o Gaernarfon wedi i'w cwch suddo)

Mellten dros Abermenai,
eiliw ar draeth, haul ar drai
a'r hogiau megis cregyn
yng nghrafangau tonnau tyn
mewn trysorgist o dristwch
ac angau'n cau am y cwch…

Chwa o'r môr sy'n chwarae mig
â hiraeth. Dagrau'n gerrig
ar dwyn am angor o dad.
Hen gerrig llyfn o gariad
yn garnedd i rinweddau
yr hil sy'n mynnu parhau
er i ni fentro yn nes
i uffern rhyw Law Gyffes
fel y dryw.
Ar wefl o draeth
â'i niwl mae'r un ddynoliaeth,
a'r un gwŷr, a'r un gweryd
a'r un bae yn yr un byd.

Twm Prys Jones (Caernarfon)

Bae

(Jac Ben, pysgotwr enwog yn Llŷn yn ystod y ganrif ddiwethaf)

Cewyll i'w cynnull a'r cwch
Yn ysu, nes i'w beswch
Drechu Jac Ben; edrychwr
Ydoedd o, ond holltai ddŵr,
A'i feddwl a'i rwyf wyddai
Bob hiraeth rhwng traeth a'r trai.

Rhwymai'r cwch tra moriai'r co'
A'i wêc oedd mwg ei faco.
Un siŵr o'i siwrnai heb siart,
Hel abwyd yn ei libart;
Dŵr hallt oedd troad ei rod
Ar dywydd fel ar dywod.

Hwyliau gwyn ar sianel gynt
A'i rwydi, segur ydynt;
Y chwa a'u sycha mae'n siŵr,
Eto ni ddaw'r pysgotwr
Dan ei hwyl; fe ŵyr dynhau
Ei wynt a'i angor yntau.

Gareth Williams (Y Tir Mawr)

Llythyr

Rhyw amlen felen a fu
Mewn llwch hyd yma'n llechu
Yn y gist ers tro yn gudd,
O'i dodi rhyw bnawn dedwydd
Fan hyn, lle trefnai fy Nain,
Yn ei hawydd i gywain,
Oriel o fân drysorau
Yn fro hud mewn einioes frau;
Amlen a fu'n wen unwaith
Yn ei dydd ar ddechrau'r daith,
Amlen ag ynddi enaid
Y llw taer sydd yn llaw Taid.

Emlyn Davies (Y Dwrlyn)

Ffyddlondeb

Y mae un sy'n driw i mi,
Y pennaf o gwmpeini.
Un wna 'nilyn yn wylaidd
I roi help i gryto'r praidd;
Â'n rasol nôl o'i fwynhad
Beunydd i sŵn chwibaniad.

Pan fydd rhagor o oriau
Ym min hwyr, caf eu mwynhau
Yn ymyl tân yn twymo
A'm byd yn glyd o dan glo,
A daw y bwndel diwyd
A'i gwt yn eiriau i gyd.

Dai Rees Davies (Ffostrasol)

Pennill yn egluro enw lle yn Llŷn

Un tro daeth sant o'r enw Ffraid
Ar daith i Ynys Enlli,
Efê a'i osgordd yn un haid
A'u bryd ar groesi'r genlli.
'Rôl cyrraedd glannau afon Soch
Ac aros i gael brechdan
Daeth storm o wynt i gylla'r Sant
Achosodd loes a thuchan.
"Myn Mair," ebychodd, "dyma le
Mewn adwy heb un guddfan."
Ond rhaid i Ffraid gael gwneud ei raid
A hynny yn bur fuan.
Ac yno yn yr adwy oer
Gollyngdod llwyr a gafodd,
A'r plant yn syllu ar y wyrth
Cyn rhedeg draw i'w hadrodd.
Hynafgwyr doeth y fro a ddaeth
I ganu salm ac emyn
A diolch am gael buchedd Sant
A galw'r lle'n Bwlch Tocyn.

Huw Erith (Y Tir Mawr)

Pennill yn egluro enw lle yn Llŷn

Ganed i D'wysog Dyfed gynt
  Ddau fab a'i gyrrai'n wirion.
Rêl hen gribddeiliwr ydoedd un –
  "Ga'i hwn… ga'i'r llall?" fel gingron,
Tra rhannai 'i frawd ei eiddo i gyd –
  Ei gleddyf roes i'w elyn
Cyn ffoi o gyrraedd gwawd ei dad
  A setlo ym mro'r Maen Melyn.

Bu farw'r ddau mewn oedran teg
  Heb adael ar eu holau
Ddim ond y chwedl dd'wedai nain
  Am frodyr a'u llysenwau.
A'r stori yw fod cof am un
  Yn fyw yn enw Caio,
A'r llall, yr hogyn hael, wrth gwrs,
  Roes fod i enw Ceidio.

Enid Wyn Baines (Glannau Llyfni)

Gwobr

Heddiw yn oes y chwyddiant
Mae'n dominô plesio plant.
I hen daid nid ydyw'n deg
Y chwennych am ychwaneg.
Ten p am 'Robin Ddiog',
Wine gums am adrodd 'Y Gog',
A gwaeth, dant llaeth ar fy llw
I Bela'n bunt dan bilw.
Un bowt ar 'Deryn y Bwn'
A'i *forte*'n costio ffortiwn,
GCSE – cadw sŵn
Am hansh go dda o 'mhensiwn.
Beth fydd hi fel, Lefel A?
Bwthyn ar draeth Ibiza.

T Gwynn Jones (Bro Myrddin)

Dathlu

Rhai'n dal i rannu dwylo'n
Gwlwm tyn sydd yng Nghwm-to.
Cae newydd yw'r cynhaeaf
I'r hen dri ar weundir haf;
Y tri gynt fu'n troi y gwair
Yn selog yng nghae'r silwair.

Tan gwrlid tarth a charthen,
Lliwiau'r nos rhwng llawr a nen,
Rhannu'r hwyr wna'r tri'n Rhiw-rhwch
Yn gôr o ddiolchgarwch;
Erfyn Duw ar derfyn dydd
A'i gael yng nghwmni'i gilydd.

Eirwyn Williams (Llanbed)

Newid

Yn ofer ceisiodd gofio
dihareb ei wyneb o,
llygaid glas, gwynias eu gwên,
a'i wallt fel tanio mellten;
mae gweddill salm a gweddi
yn llwch yn ei llogell hi:

o'i blaen, nid balchder blaenor
a'i eiriau a'i faddau'n fôr
a welai, nid gorwelion
adar mawr arfordir Môn,
ond gwymon gydag ymyl
cei o gyffroadau cul:

mewn cornel rhwng y gwely
a'r tân fu'n goleuo'r tŷ,
llond dwrn yw diwylliant tad
yn nysgl oedfa, a chasgliad
dagrau yn ddimeiau mân
yw cof a chadw'r cyfan.

Iwan Llwyd (Penrhosgarnedd)

Cywydd yn ymateb i'r llinellau
Ces lond bol ar y 'Dolig,
Ar y ffŷs a'r holl stryffig...

Be' allaf i wneud bellach
I droi pen y bachgen bach?
Mae Siôn Corn ar bob cornel
A'i garol o'n sôn am sêl
Ola' un y Mileniwm...
Wneith ei waedd ddim cyrraedd Cwm
Pennant; ni ddaw i'n poeni
Weiddi neb, lle cerddwn ni.
A down, was, a'r wlad yn wyn,
I olwg y ddau Foelwyn,
Fel dau angel yn dengid
Ar y bore gore i gyd.

Twm Morys (Y Cŵps)

Seren Iesu

Er geni i farw ganwaith
Ym Mhasg ein hamheuon maith,
Mae seren uwch ben y byd
Yn cofio'r 'Dolig hefyd.
Un seren wen, un geni,
Yn haul trwy'n cymylau ni.
Sôn am hon mwy sy'n mynnu
Dweud o hyd mewn oriau du
Y gwelwn, fe welwn wên
Mab y Saer ym mhob seren.
Ond i ni Ei weld un waith
Fe'i genir i fyw ganwaith.

Mererid Hopwood (Y Sgwad)

Cymuned

Adwy i'r man gwyn ydyw
ac antur hen fudur fyw.
I blith y ti a'r tithau
y nhw ddaeth yn un neu ddau
i roi gwifr ar lwybr a giât
a brefu'u bod nhw'n breifat.
Malio dim am aelwyd aeth
yn ddiemyn, ddiamaeth,
na swyn rhyw hen lysenw
a'r Bora da'n 'How di dw'.
Yn awr ddu yr un ar ddeg
ni chawn ond un ychwaneg.

Berwyn Roberts (Dinbych)

Ffarwél
(Athro yn ymddeol)

Er iddo gwyno ganwaith
Wrtho'i hun, roedd wrth ei waith
Yn ddedwydd beunydd, er bod
Ei yrfa'n faich diddarfod.
'Leni, a deugain mlynedd
O ddysg yn heneiddio'i wedd
Mae cwysi'i wersi ar ôl
Ar feini'r oed ffurfiannol;
Ar adeg ei anrhegu
Fe wêl bob nawmlwydd a fu,
Gwêl o'i iard ar dalar gwlad
Olyniaeth ei ddylanwad.

Emyr Davies (Y Taeogion)

Siop

Rhoi rhyw her mae bargen rad
A'i gwyddor yw gwahoddiad;
Ar y silff mae gras i oes
Â phrynu'n gyffur einioes,
Mae'r trysor ar allorau'r
Gwario brwd yn llog i'r brau,
A ffeirio'n troi'n offeren
I oes heb raid am groes bren.
Ond a'r cyfnos yn closio
Yn ei lid, a'r drws ar glo,
Pa werth geriach rhag achwyn
A bag gwag i ateb cwyn?

Nia Powell (Y Manion o'r Mynydd)

Cywydd yn ymateb i'r llinellau
Gwn y bydd rhyw ddydd a ddaw
Ar Dalwrn ffeirio dwylaw;
Rhyw feuryn, rhyw foi arall
Yn y gader yn lle'r llall.

Hen foi hy, Sioe Gelf o ŵr,
Dilornus ôl-dalyrnwr,
A gwn bydd rhaid in' ganu
Fwy *way out* na'r hyn a fu.

Mi ddaw 'na Gerallt halltach
Yr wy'n siŵr na'r bonwr bach.
Wrth ei feic, un swrth a fydd,
Horwth o ddadstrwythurydd,
A daw awr in' ystyried
Dulliau creu, canonau'n cred,
Ac o'n congol fe holwn
A fydd 'ias' i foddio hwn.

Idris Reynolds (Crannog)

Cymuned

(sef cymuned Eyam yn Swydd Derby yn yr ail ganrif ar bymtheg, a'i caethiwodd ei hun yn wirfoddol o fewn terfynau'r plwyf am fwy na blwyddyn rhag lledaenu pla i gymunedau eraill)

Mynwent edrydd o'i meini
Dirodres ei hanes hi,
Ei haberth, a dinerthedd
Hen boen cyd-wynebu bedd,
Nid cyd-fyw, ond y cyd-fod
Hirfaith yn erwau'r darfod.

Su'r gwynt sy'n adleisio'r gwâr
Yn cyd-wylo cyd-alar,
A llef uwch adlef hefyd
Yw'r enwau o'r muriau mud,
Ond o ddaear carchariad
Yn rhydd daeth egin parhad.

Gwen Edwards (Penllyn)

Perswadiwyd aelodau'r gymuned gan eu person plwyf i beidio â ffoi rhag y pla ond yn hytrach i aros o fewn terfynau'r plwyf i wynebu eu tynged rhag lledaenu'r afiechyd i gymunedau eraill. Gadawent arian wedi ei drochi mewn finegr ar gyrion y plwyf yn gyfnewid am fwyd a moddion. Bu farw dros ddwy ran o dair o'r boblogaeth

(259 allan o 350). Gwelodd un fam gladdu ei theulu cyfan – gŵr a saith o blant – o fewn wythnos i'w gilydd. Nodir ar fur pob tŷ lle trawodd y pla enwau'r rhai a gollwyd.

Canrif

Un llef yn Sarajefo,
a gwn gwladgarwr o'i go'n
fidog ein mabinogi,
bedydd ein mynwentydd ni:

'Dolig unig digannwyll
yng nghysgod drewdod a dryll,
a galwad un bugail da
yn rheg yng ngenau'r hogia:

oglau nwy ar y glaw'n hel
grym y Gair am y gorwel,
a dialedd dau deulu
neno'r Tad yn darnio'r tŷ:

effaith cwmwl caws llyffant
yn bla ar genhedlaeth o blant,
a gwleidyddion yn honni
bod du'n wyn yn ein byd ni:

hunllef yn Sarajefo:
gwaedlif canrif yn y co'.

Iwan Llwyd (Penrhosgarnedd)

Y Gŵr Gwadd

Heno'r arwr yw'r gŵr gwadd,
Ei awen yw ei neuadd
A daw gwin a chenhinen
I euro iaith ei araith hen.
Gogleisio, llwyth o *glichés*,
Iesgob, mae'n gob, diawl o ges.
Mae'n wleidydd, mae o'n wladwr,
Un saff ar bwyllgor mae'n siŵr,
Yn ddoeth, yn fardd yn ei ddydd
A thrwy hynny'n athronydd.
Ffrind mawrion, ffrind y meirw,
Y fo heno yw'r *Who's Who*.
Mor rhwydd bu'n rhwbio 'sgwydda'
Â'r gorau, do'r, drwg a'r da:
Ghandi, fi, a Dirty Den,
Lord Haw Haw a Lloyd Owen,
A gwelwn heb gywilydd
Mai hwn yw DUW… am un dydd.

Caryl Parry Jones (Y Taeogion)

Cywydd yn ymateb i'r Hen Bennill

Ni cheir gweled mwy o'n hôl
Nag ôl neidr ar y ddôl
Neu ôl llong aeth dros y tonnau,
Neu ôl saeth mewn awyr denau.

Wedi'n byw, dyna'n y bôn
y realaeth yn greulon.
Ond rhwng crud, bywyd a bedd
ein rhawd sy'n bwnc chwilfrydedd;
un gri hir ymholgar yw
erioed, am ystyr ydyw;
ystyr a all ymestyn
ystâd a gwerth pwrpas dyn.
Ni chei olud heb chwilio
na chwaith ei gyfrinach o
heb wir awch a heb barhau'n
oesol i weld yr eisiau.

Dewi Wyn (Bro Cernyw)

Cywydd yn ymateb i'r llinellau

Ar ein meuryn mae hiraeth
Am ryw hen Gymru a aeth;
Hoff yw hwn o'r gorffennol,
Tynnu o hyd at yn ôl...

Onid yw ei eurwallt o
Ers hydoedd yn 'recedio'!

A rhy hawdd yn wir yw hi
I fawrion hir glodfori
Hen oesoedd main o eisiau,
Hoffi o hyd eu coffáu,

Wedi cael pob rhyw 'mod con'
I weini i'w hanghenion.
Heb bres, heb 'double glazing'
Na thân, heb yr un dam thing,
Sawl cwpled o fawl wedyn?
Haeru'r wyf na cheid yr un!

Hilma Lloyd Edwards (Llanrug)

Cymydog

Ei ffiniau yw ei ffenest,
a'i fro'n fedal ar ei frest;
enillodd hi yn lladd iob
hirdrwyn fu yn ei wardrob:
dyna'i hawl, dyna'i alwad,
a'i wal o yw cyrrau'i wlad;
ni wêl o heibio i hon
ond ystryw diawliaid estron:

acw mae môr a gorwel
a thir mawr y llaeth a'r mêl
a chwmni iach a mwynhad
ei ieithoedd digyfieithiad,
ond nid yw hwn yn eu dallt:
hen dywydd anystywallt
a blin ydyw ffin ei ffau,
a chlawdd uwch na chelwyddau;

rhydd ei ffydd ym mhigau'r ffens
a'i hartaith, a chau'r cyrtens.

Iwan Llwyd (Penrhosgarnedd)

Penillion Coll

Bûm ers amser, cyn ymddeol,
Yn gweld trai y môr addysgol,
Ond ar y lan, o'r tywydd garw,
Rwyf yn awr yn athro llanw.

John Ogwen (Penrhosgarnedd)

Bûm wastad yn ffan o John Ogwen,
Yn ymserchu wrth weled ei wên,
Ond wedi cael winc gan y Meuryn
Rwyf yn credu fod John yn rhy hen.

Cari Rowlands (Ysgol y Berwyn)

Un heno yw'n byw ninnau, – rhannu cwys
Yr un cof wna'n dyddiau,
Ac un dydd cawn gysgu'n dau
Yng ngrwn ango'r un angau.

Huw Edwards (Pantycelyn)

Os ydyw gwynt y dwyrain
Yn fferru ffrwd dy waed,
Paid oedi yn ei oerfel
Neu ato rhoir dy draed.

Gareth Williams (Y Tir Mawr)

Mi wyddwn mai trwbwl oedd merchaid
Cyn cyrraedd fy mhymthag oed,
Ond er hynny, a phrofiad blynyddoedd,
Dwi yr un mor ddwl ag erioed.

John Ogwen (Penrhosgarnedd)

Mi es ymhlith y bechgyn
A minnau'n ddeunaw oed,
Ond pam fy nhroi yn elyn
I rai na welais 'rioed?

Edward Aethwy (Broydd Hud)

Fe glywais si, fe glywais sôn
Fod caru un yn ddigon,
Ac eto fyth mi wn yn dda
Fod arall yn fy nghalon.

Efa Gruffudd (Yr Awyr Iach)

Bu Swampy a'i fêts yn protestio
Yn erbyn yr hewlydd erioed,
Ond 'sgwn i pa faint o'u placardiau
Gynhyrchwyd ar ôl torri coed?

Aron Pritchard (Y Sgwad)

Bu'n hogi ei raser yn drylwyr,
Ni fu gwell awch arni erioed,
Ond ni fentrodd shafio ei wyneb,
Aeth allan â hi i gwympo coed.

Reggie Smart (Y Preselau)

Tra byddaf fi byw
Fydd fawr iawn o sôn.
Wedi 'mi farw
Bydd pawb ar y ffôn.

Eirwyn Williams (Llanbed)

Wrth inni gamu i'r Trydydd Milflwyddiant
Mae'r hen Leisa ar ei gorsedd o hyd,
A Charlo'n rhyw ddechrau pryderu
Y bydd hi yno tan ddiwedd y byd!

Dafydd Iwan (Waunfawr)

Mi fûm yn gweini tymor
Nes ces i flas y dôl.
Mi ddaeth 'na gynnig wedyn
Ond a i byth yn ôl.

Geraint Jones (Bro Alaw)

'Wel taw â dy dwrw,'
Medd y frân wrth y dryw.
'Cau dy geg,' meddai hwnnw,
'Nid y chdi ydi Duw.'

Edgar Parry Williams (Y Manion o'r Mynydd)

Yn Salem ar y Suliau
Mae'i Air yn rhestru'i wyrthiau,
Ac ar ddydd Llun, yng ngwewyr byw,
Nid ydyw'n llai na'i eiriau.

Gwyn Lewis (Caernarfon)

Roedd yna feuryn arall,
Er nad oes cof gen i,
Ond nôl y rhai sy'n gwybod
Roedd e yn waeth na chi.

Dai Jones (Crannog)

Wrth gofio yn y bore
Bod ganddi deulu'n rhywle,
Yn nillad nos yr Hafan aeth
Â'i hiraeth tuag adre.

Eirwyn Williams (Llanbed)

Rhwng dyn
A'i gydwybod
Mae byw
Yn ddiflastod.

Dafydd Morris (Tegeingl)

Rhwng dwy linell mewn rhyw bill
A hwnnw'n un go dila,
Mae saib dramatig ambell dro –
Yn sicr yn ei wella.

Gwenan Gruffydd (Y Tir Mawr)

Ni welaf y llwybr cyfarwydd
Am fod y nos yn llenwi'r coed,
Ac eto teimlaf ei sicrwydd
Yn gadarn o dan fy nhroed.

John Ogwen (Penrhosgarnedd)

Hyd yw 'length'
A 'house' yw tŷ,
Dydd yw 'day'
A môr yw sy'.

Eifion Daniels (Beca)

Penillion Amrywiol

Clywais lawer un yn dwedyd,
Llawer mwy yn gwrando'n ddiwyd!
Nid y tafod sy'n dolurio
Ond y rhai sydd yn ei goelio.

Ifor Owen Evans (Crannog)

Clywais ddweud bod nacw'r Meuryn
Eisiau ias mewn pennill telyn,
Eisiau rhin rhyw hen, hen wybod;
Sori, mêt, ti'n gofyn gormod.

Menna Baines (Y Taeogion)

Clywais ddweud mewn priodase
Fod 'na fraenen imi'n rhywle;
Wyf hen lanc sy'n dechre credu
Bod y fraenen wedi'i saethu.

Elwyn Breese (Bro Ddyfi)

Tlawd a gais gysuro'i hunan
Â'r ystrydeb beth yw arian?
Nid yw'r neb a feddo ddigon
Byth yn gofyn peth mor wirion.

Ifor Owen Evans (Crannog)

Fe gana'r gog eleni
Yn eira mawr mis Mai,
A heulwen Ionawr grasodd
Betalau'r lili frau.
A feiddia'r wiwer fynd i'w gwâl
A phatrwm bywyd oll ar chwâl?

Nia Evans (Aberhafren)

Er im sylwi wrth heneiddio
Fod gaeafau yn nawseiddio,
Er gweld oeri pob Gorffennaf,
Ynof fi bu'r newid pennaf.

Ifor Owen Evans (Crannog)

Pennill Graffiti

Mewn tŷ bach y daeth yr awen,
Tsiaen 'di torri, sêt fel siglen,
Ac ni sgwennwn ar y walie
Tae 'na bapur yma'n rhywle.

Ann Davies (Llansannan)

Pennill Graffiti

Os 'dach chi 'di blino pechu
Trowch i fewn i'n heglwys ni.
Ond os na 'dach chi 'di blino
Ffoniwch 9 2 7 3 3.

John Gruffydd Jones (Bro Cernyw)

Pennill Parodi

Mi welais gwdi-hw
Yn eistedd ar y lw
Heb wneuthur dim byd
Ond galw o hyd
Dw it, dw it, pw, pw.

DT Lewis (Ffostrasol)

Sgwrs rhwng Bobby Gould a Graham Henry

"Fe wn i, Gouldie, pam y dest
Mor bell dros bont yr afon:
I wneud yn siŵr na fydd dy dîm
Di byth yn curo'r Saeson."

"Olreit, 'rhen Gymro hyd y carn
O'th stadiwm hardd bob tywydd,
Fe gawn ni siarad rhywbryd 'to
'Rôl chware Seland Newydd."

Dai Jones (Crannog)

Sgwrs rhwng Gould a Henry

"Mae gen i Giggs," ymffrostiodd y Cocni;
"Mae gen innau Gibbs," atebodd y Ciwi.
Cocni a Chiwi, y ddau yn gytûn,
Dwy galon dros Gymru yn curo fel un.
"Mae'r Undeb yn ffyliaid," sibrydodd y Ciwi;
"A'r FA'n benbyliaid," sisialodd y Cocni.
Ciwi a Chocni, y ddau yn gytûn
Fod Cymru'n rhy dwp i'w rhedeg ei hun.

Geraint Williams (Pantycelyn)

Cyfarchiad i faban cyntaf 2000

Nid wyt ond bychan yn dy grud mi wn
A'r holl gyfryngol bla o'th gylch yn haid
Yn gwybod dim ar hyn o bryd fod hwn
Yn fyd ag ynddo rai nad ŷnt o'th blaid.
Na chymer sylw o'u fflachiadau ffôl
A chwsg yn esmwyth yn dy gynnes wâl.
Fe ddaw dy fam i'th godi yn ei chôl
A'th garu hyd nes elo'r byd ar chwâl.
Fe gest y fraint o fod y cyntaf un
'Rôl dau fileniwm blin i'r byd a'i boen;
Boed iti weithio dros gael byw'n gytûn
A dilyn llwybrau hedd yr addfwyn Oen,
A thyfu fel pob baban yn ei grud
I newid 'chydig bach ar hyn o fyd.

John Rhys Evans (Llanbed)

Cwpledi

Onid rhan y truenus
Yn ei dro yw medi'r us?

Berwyn Roberts (Dinbych)

O bawb, rwy'n gweithio i'r banc!
Yr wyf yn Ffermwr Ifanc.

Iwan Bryn Williams (Penllyn)

Yn y byd, os neb ydwyf,
Ar fy nhomen, unben wyf.

Ceri Wyn Jones (Y Taeogion)

Gwd ridans, Rhisiart Branswn,
Chdi a dy blydi balŵn!

Emyr Phillips (Y Dwrlyn)

Mae ym mêr dy esgyrn, Mot,
Hen ddeunydd y blaidd ynot.

Wynford Jones (Tan-y-groes)

Gorau dawn ydyw dawn dyn
I wylo dros ei elyn.

Dafydd Whittall (Tre-garth)

Drwy'r ing, gwerth mwy nag ingots
Ydyw mam a ddwed, "Sdim ots."

Wynford Jones (Tan-y-groes)

Galar a gyll ei golyn
Ond hen lid, hwnnw a lŷn.

Gwilym Morris (Llanefydd)

Isod mae ci y misys
Yr un man â darn o 'mys.

Moi Parri (Tegeingl)

Nid yw plant offeiriad plwy
O hyd yn gymeradwy.

DT Lewis (Ffostrasol)

Mae'n broblem sipian Lemsip
A dy drwyn yn drip, drip, drip!

Marc Lloyd Jones (Yr Awyr Iach)

Llai o waith yw tyngu llw
Nag ydyw'r gwaith o'i gadw.

Iwan Bryn James (Y Cŵps)

Datgan ei chredo waetgoch
Wna Drum-cree y drymiau croch.

Emyr Davies (Y Taeogion)

Y brwd a ddyfalbarha;
Yn araf y saif eira.

Llion Roberts (Aberhafren)

Er tario'r ffordd i Horeb,
Arni hi does nemor neb.

Alun Jones (Llandysul)

On'd yw'n syn fod deryn du
Yn dal yn wyn i'w deulu!

Ifan Roberts (Y Dwrlyn)

Arlliw ofn sy 'nhymor llus,
Gaeafau ar bob gwefus.

Iwan Bryn Williams (Penllyn)

Aeth llawer bwthyn unnos
Yn rhan o fieri'r rhos.

Isfron (Celtiaid Môn)

Y sicraf, uchaf ei farn
Yw yfwr mewn tŷ tafarn.

Dai Jones (Crannog)

I ble'n y bore'r aeth barn
Dy dafod tew'n y dafarn?

Geraint Williams (Pantycelyn)

Nid rwbel yw pob relic
Ddoe'n y tân, heddiw'n antîc.

Dai Jones (Ffair-rhos)

Cwpled ar gefn fan

Ŵr hy, os brecia i rŵan,
Ei di a fi i'r un fan.

Gwilym Fychan (Bro Ddyfi)